Cœur de cristal

Frédéric Lenoir

Cœur de cristal

Illustrations : Alexis Chabert
Couleurs : Magali Paillat

ROBERT LAFFONT

À ceux qui ont un cœur d'enfant

Prologue

*On aime encore plus intensément,
et plus profondément, lorsque la douleur
a creusé et agrandi notre cœur.*

Il était une fois, il y a bien longtemps, dans un royaume lointain, un roi puissant qu'on appelait le roi bon. Sa bonté était si grande qu'elle était connue de tous. Dans ses terres, comme dans tous les autres royaumes du monde. Partout, son nom était respecté et sa vie donnée en exemple aux enfants : « Regarde, leur disait-on, ce roi est si bon que tout son peuple l'aime et vit en paix. Il n'a pas besoin de régner par la peur. Le secret de sa puissance tient à sa seule bonté. »

Un jour, alors que le roi bon était déjà vieux et malade, Aloa, sa petite-fille âgée de neuf ans, vint le trouver sur la terrasse du palais où il se reposait. Ses yeux étaient embués de larmes. Le roi la prit sur ses genoux et lui demanda :

« Pourquoi pleures-tu, ma petite chérie ?

— Parce que Goum est mort, répondit la fillette, redoublant de pleurs. Je suis si malheureuse… »

Le vieux roi savait combien Aloa était attachée à son chien Goum, qui ne la quittait pour ainsi dire jamais. Il ne chercha pas à sécher les larmes de sa petite-fille, mais il pleura avec elle, la serrant toujours plus fort dans ses bras. Quand le puits de tristesse de son cœur fut asséché, Aloa plissa son petit front et lança avec rage :

« Je ne veux plus souffrir ! Je ne veux plus m'attacher à personne ! »

Le roi la regarda avec gravité, puis dit ces mots :

« Écoute-moi bien, ma petite Aloa. Quand on a perdu un être cher on peut fermer son cœur, ou bien utiliser ce silex de la peine qui le déchire pour l'ouvrir davantage encore. On aime encore plus intensément, et plus profondément, lorsque la douleur a creusé et agrandi notre cœur. »

La fillette ouvrit de grands yeux interrogateurs. Le vieux roi continua :

« Je vais te raconter une histoire. Mon histoire. Veux-tu ? »

Aloa acquiesça de la tête, se lova contre son grand-père et ferma les paupières. Le roi aussi ferma les yeux, comme pour aller chercher ses souvenirs au plus loin dans sa mémoire. Il poursuivit d'une voix douce :

« Tu sais, ma chérie, tout le monde m'appelle le roi bon. Mais quand j'avais vingt ans, on m'appelait cœur de cristal, car mon cœur était pur, mais froid comme le cristal. »

1

Un cœur glacé

L'amour est le parfum et la saveur de la Vie.

J'étais beau, j'avais reçu une magnifique éducation, j'étais l'unique héritier du trône, tout le monde m'enviait. Et pourtant, au fond de moi, je ne connaissais pas le bonheur, car j'étais né avec un bien étrange handicap : j'étais incapable d'aimer. Ma mère, décédée à ma naissance, ne me manquait pas ; je respectais mon père, sans pour autant lui être particulièrement attaché. Mon cœur d'enfant n'a jamais vibré pour personne. J'avais de nombreux camarades de jeu, mais je ne ressentais aucune émotion particulière lorsque je ne les voyais plus. Et quand il arrivait malheur à l'un d'entre eux, j'étais pris parfois d'une sorte de pitié : j'aurais préféré qu'il ne souffrît pas, mais je n'étais ni triste ni courroucé. J'ai certes connu dans mon enfance toutes sortes d'émotions – de la peur, de la colère, de la joie ou de la peine –, mais elles n'étaient jamais le fruit de mon attachement à quelque être que ce fût. J'étais sombre ou joyeux quand je perdais ou gagnais à des jeux avec mes amis. J'étais furieux quand on m'obligeait à travailler alors qu'on m'avait promis que je pourrais aller monter mon cheval Alzara. Mais, même lorsqu'on dut achever mon cheval après une mauvaise chute, mon seul chagrin naquit de la pensée qu'il me serait difficile d'en trouver un autre aussi rapide et bien dressé.

Ma nourrice, Doha, m'a donné le sein à la place de ma mère et a été à mes côtés à chaque instant de mon enfance. Elle qui m'a certainement aimé autant que la mère la plus aimante qui soit est morte l'année de mes treize ans. Elle était si bonne que tout le monde pleura lors du rituel du Grand Passage. Tout le monde, sauf moi. Je ressentis une certaine tristesse à l'idée de ne plus jamais la voir, mais cette peine était purement égoïste. Doha me rappelait les bons souvenirs de mon enfance et je versai quelques larmes sur eux plutôt que sur elle. En me voyant ainsi peiné, certains crurent que mon cœur s'était réchauffé. Mais quand, au terme de la cérémonie, je partis d'un grand éclat de rire et manifestai mon impatience de passer à table, tous comprirent qu'il n'en était rien : mon cœur restait de glace.

Je possédais tout, mais il me manquait l'essentiel. Comme j'allais le découvrir plus tard, l'amour est le parfum et la saveur de la Vie. Et même si son goût est parfois amer, il donne à l'existence sa beauté, sa chaleur et sa magie.

2

Le mauvais sort

L'amour nous rend vulnérable
et dépendant des autres.
Mais c'est une merveilleuse vulnérabilité
sans laquelle aucun bonheur profond n'est possible.

Parmi les enfants qui m'entouraient, je me souviens d'Eliona, la seconde fille de ma nourrice qui avait eu quatre enfants. Elle était née neuf jours avant moi et nous avions partagé le lait de sa mère. Nous sommes restés très proches pendant la petite enfance, jusqu'à ce que je préfère jouer avec des garçons à des jeux plus virils. Eliona en fut peinée, mais ne le confia jamais à quiconque. Au fur et à mesure de mon éloignement, je vis cependant ses beaux yeux noirs se voiler de tristesse. C'est alors que je compris véritablement ma différence. Je venais d'avoir sept ans.

J'allai trouver mon père et lui demandai pourquoi je n'avais jamais éprouvé ce sentiment qu'on nomme « amour ». Pourquoi l'absence de mes proches ne me faisait jamais souffrir ? Mon père me prit sur ses genoux – et je crois me souvenir que c'est la dernière fois qu'il fit ce geste –, comme si la révélation qu'il allait faire devait mettre un terme au monde insouciant de mon enfance.

« Mon fils bien-aimé, je dois t'apprendre quelque chose que nous t'avons jusqu'à présent caché. Peu de temps avant ta naissance, j'ai fait enfermer dans la tour noire une sorcière qui avait causé la mort de plusieurs de nos gens. À la fin de son procès, elle promit de se venger et jeta un sort à ma tendre épouse, ta mère, qui siégeait à mes côtés, enceinte de toi. La sorcière lui prédit la mort lors de son accouchement et affirma que l'enfant à venir ne connaîtrait jamais le plus beau de tous les sentiments : l'amour. Hélas, sa funeste prédiction se réalisa et lorsque tu vins au monde, ma joie fut terriblement assombrie par la mort de ta mère.

« Puis, alors que tu n'avais que quelques jours, on vit ton cœur irradier d'une douce lumière à travers ta fine peau de bébé. Je demandai à Sarman le guérisseur une explication. Il t'observa

« Mon fils bien-aimé, je dois t'apprendre quelque chose
que nous t'avons jusqu'à présent caché. »

attentivement et m'expliqua qu'une fine coque de cristal s'était formée autour de l'organe vital, ce qui expliquait la pureté de son éclat. Sarman ajouta que le cristal maintiendrait ton cœur gelé et l'empêcherait de vibrer. Je lui demandai s'il était possible de briser cette prison de verre, mais il me répondit que ce serait une opération trop périlleuse, car le moindre éclat pourrait mortellement blesser ton cœur. Seul son réchauffement intérieur pourrait faire fondre sa gaine et le libérer. Mais comment faire ?

« Je réalisais par la suite, en te regardant grandir, que tu étais, en effet, bien différent des autres enfants. Tu semblais te suffire à toi-même et être peu affecté par les relations avec tes proches. Tu accueillais de manière presque indifférente l'affection qu'on te portait et tu n'en offrais jamais. Et cela, mon fils, se vérifie encore aujourd'hui : Eliona t'aime, mais tu ne l'aimes pas.

— Ce n'est pas vrai, père. J'ai longtemps aimé jouer avec elle, mais maintenant je préfère jouer avec des garçons à d'autres jeux.

— Ce n'est pas elle que tu aimais, mais le plaisir que te procurait sa compagnie pour les jeux que tu avais envie de faire. Si tu l'avais aimée vraiment, si tu t'étais attaché à elle, tu continuerais à apprécier et à rechercher sa présence, même sans jouer avec elle. C'est cela l'amour, mon fils : ce lien mystérieux qui nous relie aux autres et qui fait qu'on les aime pour ce qu'ils sont et pas simplement pour ce qu'ils nous apportent. Et les chagrins d'amour viennent de la séparation avec l'être aimé ou du fait que notre amour pour lui n'est pas partagé.

— Mais père, c'est une grande faiblesse de s'attacher aux autres, puisqu'ils peuvent nous quitter ou bien ne pas nous aimer ! Si tu n'avais pas aimé maman, tu n'aurais pas été aussi malheureux lorsqu'elle est morte. À quoi ça sert d'aimer ?

— L'amour, tu as raison, nous rend vulnérable et dépendant des autres. Mais c'est une merveilleuse vulnérabilité, sans laquelle aucun bonheur profond n'est possible. Car ce sentiment embrase notre cœur, le réchauffe, l'apaise et élève tout notre être. Le prix à payer est parfois important, je l'ai durement éprouvé dans ma chair, mais celui qui a goûté à l'amour ne voudra plus jamais y renoncer. Une vie sans amour serait comme une planète sans soleil. C'est pourquoi, mon fils, je souhaite ardemment que la malédiction soit un jour rompue et que tu puisses ressentir la joie, et parfois la tristesse, d'aimer et d'être aimé.

— Il faudrait que tu libères la sorcière, alors ?

— Je l'ai fait brûler sitôt ta mère décédée. Seul toi-même, ou la Puissance Profonde du Monde, pourrez peut-être un jour te libérer de ce mauvais sort, mon enfant. Je la prie tous les jours pour que ton cœur gelé vienne à se réchauffer et puisse faire fondre cette gangue de cristal qui l'empêche de vibrer et d'aimer. »

3

Eulysis

*Même le plus froid et le plus endurci des cœurs
ne saurait rester sourd au chant du pur amour.*

Cette conversation avec mon père m'avait à la
fois attristé et réconforté. Je savais maintenant
que j'étais vraiment différent des autres enfants
et cela me peinait. En même temps, je me disais
que ce sort était peut-être un mal pour un bien,
car j'étais imperméable aux chagrins causés par
l'amour dont je constatais les dégâts en observant
les grandes personnes autour de moi.

Ce sentiment ambigu allait se renforcer avec
l'adolescence. Je voyais mes amis connaître les
joies et les peines de l'amour et je ne savais si je
devais les envier ou les plaindre. J'ai ainsi vu
mon meilleur ami tomber amoureux d'une jeune
fille qu'il avait à peine croisée à une fête. Il ne
parlait que d'elle et était si exalté qu'il ne pouvait

ni manger ni dormir. Lorsqu'il revit la jeune fille et qu'elle accepta son invitation pour une promenade, il était si heureux, que son visage irradiait. Je regrettai alors de ne pas éprouver ce sentiment qui pouvait procurer une telle félicité. Mais dès qu'il eut appris, lors de cette rencontre, que la jeune fille aimait un autre garçon, il tomba dans un tel chagrin qu'il faillit mettre fin à ses jours, et je me trouvai dès lors bienheureux de ne pas connaître l'amour et ses tourments.

C'est à l'âge de dix-sept ans que je connus ma première relation intime avec une jeune fille : Eulysis. Elle était la fille du grand chambellan du royaume. Je la connaissais depuis ma plus tendre enfance, puisqu'elle avait été élevée dans l'enceinte même du château royal et n'était que de deux ans ma cadette. Mais comme c'était une enfant secrète et solitaire, je n'avais jamais vraiment eu l'occasion de partager des jeux avec elle. Elle baissait les yeux dès qu'on la regardait et il était difficile de savoir ce qu'elle pensait ou ressentait. Je me suis même demandé si elle n'était pas atteinte du même mal que moi, ce qui nous rapprocha.

Pour mon dixième anniversaire, elle m'avait remis une petite boîte dans laquelle elle avait dissimulé un cœur avec des pétales de fleurs, qu'elle avait elle-même confectionné. J'avais été intrigué par ce cadeau, si différent des autres. À la fin de la fête, j'étais allé la voir pour lui demander ce que signifiait ce présent. Elle avait baissé les yeux, comme à l'accoutumée, mais elle avait saisi ma main et m'avait invité à m'asseoir à côté d'elle, à même le sol, et avait posé délicatement sa tête sur mon épaule. Nous étions restés ainsi un long moment en silence. Je sentais sa respiration contre mon cou et sa présence m'apaisait.

Nous nous revîmes dès lors plus souvent et chaque fois, n'ayant pas grand-chose à nous dire, nous passions de longs moments en silence dans cette même position. Je finis un jour par lui poser la question qui me brûlait :

« Toi aussi tu ne sais pas aimer ? »

Elle resta interdite, puis demanda d'une voix hésitante :

« Que veux-tu dire ?

— Tu as aussi reçu un mauvais sort comme moi et ton cœur est fermé ? C'est pour ça que tu n'as pas beaucoup d'amis ? »

Elle découvrait mon histoire et en fut profondément peinée.

« Moi, ce n'est pas ça du tout ! finit-elle par m'avouer. Je trouve les gens de mon âge trop superficiels et leurs jeux ne m'intéressent pas. Toi, je te trouve différent. Maintenant je comprends pourquoi. Ne t'en fais pas, la sorcière n'aura pas le dernier mot : même le plus froid et le plus endurci des cœurs ne saurait rester sourd au chant du pur amour. »

À partir de ce moment, Eulysis prit la décision de m'aimer du plus fort de son cœur. De m'aimer de manière si brûlante qu'elle ferait à coup sûr fondre la coque de cristal qui tenait prisonniers mes sentiments. De m'aimer jusqu'à en mourir s'il le fallait, puisse son amour réveiller mon cœur de sa torpeur.

À l'adolescence, son corps et son visage se transformèrent et elle devint une ravissante jeune femme. Elle restait toujours aussi secrète et les nombreux garçons qui tentaient de lui faire la cour n'arrivaient pas à obtenir même un seul regard d'elle. Elle continuait de n'aimer que moi, et avec une intensité qui ne faisait que croître au fil des ans. J'étais touché par cet amour, sans toutefois le partager. J'appréciais sa présence et les douces caresses de nos corps éveillaient maintenant en moi le désir de l'étreindre. Pourtant, je sentais que cet élan n'avait rien à voir avec ce qu'elle ressentait, elle. Mon corps désirait enlacer le sien, mais aucune flamme ne venait faire briller mon regard. Mon cœur restait gelé. Je me refusais à lui mentir en lui faisant croire à un amour qui n'existait pas. Je pris la décision de ne plus la voir tant que mon cœur ne battrait pas à l'unisson du sien. Bien qu'elle en fût fort attristée, elle me dit qu'elle comprenait, qu'elle m'attendrait toujours, n'aimerait jamais que moi et savait qu'un jour mon cœur se réchaufferait et chanterait les joies et les peines de l'amour.

4

Maître Zhou

*Ne donne à personne le pouvoir
de te rendre heureux ou malheureux.*

Ma différence devenait si visible à l'adolescence, que j'étais bien souvent la cible des
moqueries de mes camarades. Un jour, je surpris
l'un d'eux en train de m'imiter devant un groupe
de garçons et de filles. Il jouait alternativement le
rôle de personnes appelant mon amour ou ma
compassion et le mien, passant au milieu de leurs
bras tendus sans même les remarquer. Tous
riaient de me voir singé en un être totalement
insensible, ne ressentant aucun attachement.
Furieux, blessé au plus profond de moi, je me
jetai sur lui. Nous fûmes bientôt séparés et je restai seul, terriblement malheureux. Je décidai
d'aller voir Maître Zhou. C'était un très vieil
homme, plein de sagesse, que les gens venaient

consulter. Il intercédait aussi parfois auprès de la Puissance Profonde du Monde. Maître Zhou habitait une simple cabane en bois, perchée en haut d'un piton rocheux qui surplombait la ville. Lorsque j'arrivai chez lui, il était en train de méditer en silence. Une chose m'avait toujours surpris : il y avait à la porte de sa maison deux petits arbres, des érables nains, qui étaient en permanence recouverts d'une fine couche de givre, été comme hiver. Ces arbres me faisaient penser à mon propre cœur et, lorsque j'avais interrogé le vieux sage à leur sujet, il m'avait simplement répondu que les arbres avaient gelé le jour de ma naissance.

Je toussotai et, sans bouger de sa position, Maître Zhou me fit signe de m'asseoir à ses côtés. Je lui racontai alors ma mésaventure avec mes camarades et la profonde peine qu'ils m'avaient causée. Le sage resta longtemps en silence, puis lâcha cette parole que je n'ai jamais oubliée et qui m'a servi de guide pour le reste de ma vie :

« Ne donne à personne le pouvoir de te rendre heureux ou malheureux.

— Que voulez-vous dire, Maître ?

— Tu viens me voir parce que tu es malheureux, n'est-ce pas ?

« La Vie nous tend toutes sortes de miroirs pour nous
permettre de mieux nous connaître et de progresser. »

— Oui…

— Tu es malheureux parce que ton ami s'est moqué de toi, si j'ai bien compris ?

— En effet.

— Tu lui as donc donné le pouvoir de te rendre malheureux. Si quelqu'un t'insulte ou cherche à t'humilier, ne réponds jamais et passe ton chemin : ce n'est pas ton problème, mais le sien. Et si au lieu d'entendre des moqueries tu avais entendu tes amis dire du bien à ton sujet, aurais-tu été heureux ?

— Certainement.

— Tu leur aurais donc donné le pouvoir de te rendre heureux. La Vie nous tend toutes sortes de miroirs pour nous permettre de mieux nous connaître et de progresser. Une moquerie ou un compliment est un miroir qui t'est tendu. Peu importe celui qui est l'instrument de la Vie pour te le tendre. Lorsque tu te regardes dans un miroir et que tu vois que tu as un bouton sur le visage, tu ne vas pas chercher à agresser le miroir mais à enlever le bouton, n'est-ce pas ?

— En effet.

— Il en va de même pour tout. Ne t'intéresse pas au miroir que les autres te tendent, mais sers-t'en pour t'observer et observer tes propres réactions. Chaque geste ou chaque parole qui te touche est là pour révéler ton état intérieur et te permettre de mieux te connaître et d'évoluer.

« Tu as encore à apprendre une grande vérité de la Vie, mon enfant : le bonheur et le malheur sont en toi. Deux êtres peuvent avoir exactement la même existence, les mêmes traits physiques, les mêmes parents, les mêmes biens matériels, les mêmes qualités et les mêmes défauts. L'un sera heureux parce qu'il se contentera de ce qu'il a, verra toujours l'aspect positif de sa vie et saura profiter de tous les petits plaisirs de l'existence ; l'autre sera malheureux parce qu'il voudra toujours posséder davantage, considérera surtout les choses négatives et ne sera pas attentif aux bons moments de l'existence.

« Si tu es en paix avec toi-même, si tu es en paix avec la Vie, alors rien ni personne ne pourra t'enlever cette force. Et ceux qui ont découvert cette vérité ne perdent plus jamais la paix intérieure, quoi que l'on dise ou pense d'eux, que l'on réponde ou non à leurs attentes. »

5

L'oracle

Le monde est constitué d'éléments invisibles
et subtils que nous ne pouvons percevoir
qu'avec notre cœur ou notre intuition.

Alors que je venais d'avoir vingt ans, mon père
tomba malade. Bien que lent à se développer, ce
mal était incurable et la question de sa succession
se posa. J'étais son enfant unique. Le grand
chambellan vint me trouver :

« Il faut vous préparer à succéder à votre père
à la tête du royaume. Et comme vous le savez,
prince, vous allez devoir trouver une épouse,
ainsi que l'exigent nos lois. »

Cette idée m'attrista. Je n'avais aucune envie
de me marier.

« Comment pourrais-je épouser une noble
jeune femme du royaume, puisque mon cœur est

vide et que je ne saurai lui rendre l'amour dont elle me gratifiera ?

— Peu importe que vous l'aimiez, prince. Elle devra tenir son rang et donner au royaume un futur souverain.

— Qui donc accepterait de se sacrifier ainsi ? Avez-vous une suggestion à me faire ?

— Vous savez bien à qui je pense... »

Je restai en silence un moment, défiant le chambellan du regard, quand soudain la réponse me traversa l'esprit :

« Eulysis ? »

Il acquiesça en baissant les yeux.

« Vous êtes prêt à sacrifier votre propre fille pour asseoir votre pouvoir !

— Non pour cette raison, mon prince, mais pour le bien du royaume. Et si vous ne l'aimez pas, elle vous aime, elle, et sera la plus dévouée des épouses.

— Dévouée, mais toujours en peine de n'être pas aimée en retour ! Je ne peux m'y résoudre. Autant encore épouser une femme qui ne m'aime pas non plus et qui assurera son rôle sans souffrir.

— Si elle ne vous aime pas, elle vous trompera, prince, et nous irons vers bien des complications. Croyez-moi...

— Assez ! Laissez-moi réfléchir à cette cruelle question. Et tant que mon père est en vie, il n'y a pas lieu de me marier en toute hâte. »

Le chambellan se retira en s'inclinant et je restai pensif. Que faire ? L'idée me vint d'aller demander conseil à Maître Zhou. Parvenu devant sa cabane, je le trouvai cette fois en train d'arroser les petits érables gelés.

« Je vous salue, Maître Zhou !

— Salut à toi, jeune prince.

— Comment se fait-il que ces arbres ne dégèlent pas avec une telle chaleur ?

— C'est étrange, en effet.

— Et pourquoi prendre soin de les arroser, alors qu'ils sont gelés ?

— Sont-ils morts ? Sont-ils encore en vie ? Nul ne le sait…

— Je me pose la même question à propos de mon cœur. Maître Zhou, pensez-vous que je sois condamné à ne jamais aimer ?

— Nul ne le sait non plus.

— Je dois me marier pour succéder à mon père. Avant de me résoudre à lier ma vie à une femme que je n'aime pas, pouvez-vous m'accorder une faveur ? »

Le sage posa son regard perçant sur moi.

« Laquelle ?

— Je sais que vous savez interroger la Puissance Profonde du Monde pour éclairer mon père dans son gouvernement du royaume. Pourriez-vous le faire pour moi ?

— Et toi, que sais-tu de la Puissance Profonde du Monde ? »

Maître Zhou avait l'art de retourner les questions et de mettre ses interlocuteurs à l'épreuve avant de leur accorder une quelconque faveur.

« Je sais ce que vous m'en avez appris, Maître.

— Je t'écoute, répondit-il imperturbable, tout en continuant d'arroser les érables d'un geste lent.

— Vous m'avez appris que le monde était fait de tout ce que l'on peut voir, entendre, goûter, sentir ou toucher avec les sens de notre corps. Mais qu'il était aussi constitué d'éléments invisibles et subtils, que nous ne pouvions percevoir qu'avec notre cœur ou notre intuition. Et que tout ce monde visible et invisible était porté par une puissance mystérieuse, qui relie entre eux avec justesse et bonté tous les êtres et toutes les choses, qu'on appelle la Puissance Profonde du Monde. »

Maître Zhou sourit.

« Que veux-tu donc savoir ?

— Existe-t-il en ce monde un être qui puisse réchauffer mon cœur afin de faire fondre la gaine de cristal et que je puisse aimer ? »

Le sage plissa les yeux et poussa un léger soupir.

« C'est entendu, je vais poser cette question. Mais n'attends pas forcément de réponse. Reviens me voir quand la lune sera pleine. »

Trois jours plus tard, j'étais à nouveau face au vieux sage. Je n'avais pour ainsi dire pas dormi depuis notre précédent entretien.

« J'ai une réponse à ta question, jeune prince ! »

Mon esprit était si troublé que j'avais l'impression qu'il me serait impossible d'entendre la voix du sage.

« Voici : il existe dans le vaste monde une femme, et une seule, qui peut réchauffer ton cœur gelé. Dès le premier instant où tu la verras, ton cœur la reconnaîtra et la gangue de cristal commencera à fondre. Mais je n'ai aucune idée de son nom, ni comment la trouver. Sache aussi que tu traverseras une grande souffrance si tu étais amené à la rencontrer. Une épreuve bien plus grande que tout ce que tu peux imaginer. Ce sera le prix à payer pour lever le mauvais sort. Réfléchis bien avant de prendre la décision de rechercher cette femme ! »

6

Le grand bal

Lorsque l'amour surgit, notre âme est soulevée par la puissance de son souffle.

Ma décision ne fut pas longue à prendre. Peu m'importait l'épreuve à endurer : je voulais absolument connaître l'expérience de l'amour. Je fis donc savoir au grand chambellan, sans lui révéler la confidence de Maître Zhou, que j'acceptais de me marier et que je souhaitais rencontrer toutes les nobles femmes du royaume. Il se réjouit de ma décision et lança l'idée d'un grand bal au palais, où seraient conviées les jeunes filles de la noblesse en âge de se marier. Des émissaires portèrent les invitations aux quatre coins du royaume. Une chose cependant m'inquiétait : Maître Zhou m'avait dit que je reconnaîtrais cette femme au premier regard, mais j'avais peur de me tromper. Comment identifier l'amour avec certitude s'il se présente à moi ? Comment savoir que mon cœur aime ? Je m'en ouvris à un de mes amis. Il éclata de rire :

« Tu n'as aucun souci à te faire ! Lorsque l'amour surgit, notre âme est soulevée par la puissance de son souffle. Si tu as un coup de foudre pour une jeune femme, tu sentiras une chaleur naître dans ta poitrine, le rythme des pulsations de ton cœur s'accélérera, ton visage s'empourprera, tu n'arriveras sans doute pas à sortir une seule parole cohérente et tu n'auras qu'une idée en tête : la revoir au plus vite. »

Une lune plus tard, plus de cent jeunes filles vinrent assister au bal dans leurs riches équipages. Le palais, habituellement si calme, se transforma pendant plusieurs jours en un magnifique lieu de réjouissance, où explosaient partout les rires, la musique et le crépitement des feux de joie.

Le soir du grand bal, il était prévu que j'invite chacune des jeunes femmes pour une brève danse. J'étais dans un état de grande excitation. Il y avait de fortes chances pour que je fasse enfin la rencontre de celle qui ouvrirait mon cœur. Je me rendis au grand salon en tremblant d'émotion.

Le bal dura jusqu'à l'aube. Chaque jeune fille sachant qu'elle pouvait devenir la reine du royaume s'était parée de ses plus beaux habits. Tout en dansant, j'observais chacune d'elles au plus profond des yeux, comme pour sonder leur cœur et surtout le mien. Je croisai, au long de cette nuit, bien des regards radieux ou anxieux, et j'étais ému par la beauté de certains visages, mais à aucun moment mon cœur ne fut emporté par le grand souffle de l'amour.

7

Les princesses des quatre vents

*Que le monde est beau dans la variété
foisonnante de ses formes, de ses sons,
de ses couleurs, de ses parfums et de ses êtres.*

J'étais dépité, mais nullement découragé.
J'avais une totale confiance en Maître Zhou et en
sa capacité de se relier à la Puissance Profonde du
Monde. Je savais qu'il existait, en quelque lointaine contrée, une jeune femme dont le destin
était de réveiller mon cœur endormi. Nous décidâmes donc d'envoyer des émissaires dans tous
les royaumes connus, afin de convier les princesses
et les femmes de haut rang qui souhaitaient
m'épouser. Ils partirent aux quatre extrémités du
monde : certains remontèrent vers le vent du
sud ; d'autres vers le vent du nord ; d'autres
encore vers le vent d'est ; et les derniers enfin
vers le vent d'ouest. Moins de deux lunes après le

départ des émissaires, les premières jeunes femmes arrivaient au palais.

Je garde de cette période un merveilleux souvenir. Je vis pénétrer au château des jeunes filles aux beautés si diverses que je m'émerveillais que le monde pût créer autant de visages et de corps aux formes et aux couleurs si envoûtantes. Et je ne parle pas des équipages dans lesquels ces jeunes femmes arrivaient : je découvrais des carrosses féeriques, des animaux que je n'avais jamais vus auparavant, des gardes aux armures flamboyantes, des tissus et des vêtements qui firent pâlir d'envie toutes les femmes de la cour. « Que le monde est beau dans la variété foisonnante de ses formes, de ses sons, de ses couleurs, de ses parfums et de ses êtres », me suis-je dit maintes fois pendant ces nombreuses lunes où parvenait presque chaque jour au palais un nouvel équipage d'une lointaine contrée.

Nous prenions le temps de recevoir nos hôtes et, après qu'ils s'étaient reposés de leur long voyage, je recevais à déjeuner ou à dîner la jeune fille qui était venue me rencontrer. Beaucoup me touchèrent par leur beauté, d'autres aussi par leur intelligence ou leurs talents. Une femme à la peau noire dansa si bien pour moi que je crus un instant sentir le souffle de l'amour. Mais ce

« Une femme à la peau noire dansa si bien pour moi
que je crus un instant sentir le souffle de l'amour. »

n'était que de l'émotion devant sa grâce. Une autre me récita des poèmes qu'elle avait elle-même composés et je fus tout autant troublé. Ce n'était cette fois que de l'admiration devant la beauté de son esprit. Une fois encore, je fus ému par une princesse aux yeux bridés, venue d'un royaume polaire, qui effleura mon corps des heures durant de son souffle chaud et léger. Mais ce n'était, tout compte fait, que du désir charnel. À aucun moment je ne ressentis les symptômes de l'amour.

8

L'amour pur

Je t'aime trop pour te vouloir à moi
alors qu'il existe un autre être
qui pourrait combler ton cœur.

À la douzième lune après le départ des émissaires, les équipages cessèrent d'arriver. L'état de
santé de mon père se détériora et je m'en vins le
trouver. J'étais, cette fois, profondément déçu et
lui fis part de mes doutes. Il était l'un de mes seuls
proches à savoir ce que m'avait dit Maître Zhou.

« Père, j'ai rencontré les plus belles femmes du
monde, mais aussi sans doute les plus aimantes et
les mieux éduquées. Chacune d'elles aurait pu
embraser le cœur de n'importe quel prince. Mais
il n'en fut rien pour moi.

— J'en suis navré, mon fils bien-aimé ! Et
maintenant, je sens mon corps faiblir. Je ne tar-

derai plus très longtemps à effectuer le Grand Passage. Pourquoi n'épouses-tu pas une jeune fille d'ici que tu apprécies ? Il y en a tant à la cour qui sauront prendre soin de toi et te donner une belle descendance. Je comprends ton scrupule à vouloir aussi l'aimer, mais peut-être Maître Zhou s'est-il trompé ? Tu sais, nos questions sont simples et les réponses de la Puissance Profonde du Monde sont parfois bien énigmatiques. Et si Maître Zhou avait mal interprété ce qui lui a été signifié ? »

Troublé par les propos de mon père, je ne savais plus que faire. Dans le jardin du palais, je croisai Eulysis. Elle sut lire la tristesse de mon cœur au fond de mes yeux.

« Que se passe-t-il, mon cher ami ?

— Rien, Eulysis, la santé de mon père s'est dégradée... »

Elle saisit mes mains et m'entraîna au jardin.

« Je comprends le chagrin pour ton père, mais je lis autre chose dans ton regard... comme une sorte de désespoir... »

À ces mots, des larmes jaillirent et je m'abandonnai dans ses bras, comme lorsque nous étions enfants.

« Je suis si triste ! J'ai rencontré des centaines de jeunes femmes, venues des quatre vents du monde, et aucune n'a su éveiller mon cœur endormi.

— Je sais cela, mon tendre ami. As-tu perdu tout espoir ?

— Je crois que oui. Pourtant je vais te confier un secret : Maître Zhou a interrogé la Puissance Profonde du Monde à mon sujet.

— Alors ?

— Alors, il m'a affirmé qu'il existait quelque part au monde une femme, une seule, qui pourrait réchauffer mon cœur et faire fondre la coque de cristal qui l'enserre. »

Eulysis trembla. Elle le savait, elle l'avait toujours su, et était persuadée que c'était elle. Ce que j'allais lui dire lui fendit l'âme.

« Il a ajouté que mon cœur commencerait à fondre dès le premier instant où je la verrais. »

La jeune fille se raidit, le monde se dérobait sous ses pieds. J'ajoutais :

« Mais je commence à douter que ce soit vrai. Peut-être devrais-je épouser une femme qui m'aime. Peut-être devrais-je… t'épouser ? »

Eulysis resta un long moment figée. Puis elle reprit ses esprits et me dit la chose la plus incroyable, la chose la plus incompréhensible qu'il m'ait été donné d'entendre :

« N'en fais rien !

— Que… veux-tu dire ? Tu ne m'aimes plus ?

— Bien au contraire, mon tendre ami. Bien au contraire ! Je t'aime trop pour te vouloir à moi alors qu'il existe un autre être qui pourrait combler ton cœur.

— Tu le crois vraiment ?

— J'en suis persuadée, mon prince. Jamais Maître Zhou ne s'est trompé.

— Et… tu n'es pas triste.

— Mon cœur est bouleversé. Je suis infiniment triste de savoir que tu en aimeras un jour une autre… et je suis infiniment heureuse de le savoir, car tu connaîtras enfin la force enivrante de l'amour. »

9

La bénédiction du père

Comme les fleurs réjouissent le cœur
de ceux qui savent les regarder,
l'univers répond à nos désirs les plus profonds
si nous mettons tout en œuvre
pour les réaliser.

Eulysis venait de me montrer la plus belle preuve de son amour. L'amour tel que mon père me l'avait expliqué, celui qui se réjouit avant tout du bonheur de l'autre. Comme je désirais connaître cet amour-là moi aussi ! Ma jeune amie ne se contenta pas de me redonner foi, elle me conseilla de manière avisée sur la façon de procéder. Puisque aucune femme noble n'avait su toucher mon cœur, il me fallait rencontrer aussi les jeunes filles du peuple en âge de se marier, quitte à froisser la tradition qui insistait sur l'égalité de rang social dans le mariage. J'allai donc trouver mon père pour lui dire que j'étais décidé à élargir ma quête.

« C'est impossible, mon fils !

— Je sais, père, que vous êtes attaché aux traditions, mais si c'est le seul moyen de rencontrer celle que le destin m'a réservée ?

— Si tu devais aimer une simple paysanne, je m'en accommoderais, tant mon cœur serait heureux pour toi. Mais comment penses-tu rencontrer les dizaines de milliers de femmes à marier que compte le royaume ? Tu n'en auras pas rencontré le centième que je serai passé sur l'Autre Rive depuis longtemps.

— Eulysis, dans sa grande bonté, m'en a donné l'idée. Si la Puissance Profonde du Monde veut m'aider, je ne ferai rien d'autre que de quitter le palais, m'habiller comme un simple vagabond et errer par les routes en me laissant guider jusqu'à celle qui m'est destinée. Un jour mon regard la croisera et mon cœur sera touché. Alors je reviendrai ici pour te la présenter et l'épouser. Animé par cette foi profonde, ne manquerai-je pas de la rencontrer ? Maître Zhou ne nous a-t-il pas enseigné cette devise : "Comme les fleurs réjouissent le cœur de ceux qui savent les regarder, l'univers répond à nos désirs les plus profonds si nous mettons tout en œuvre pour les réaliser ?" »

Mon père resta longtemps silencieux, puis me demanda de me mettre à genoux et étendit la main sur moi.

« Je te bénis, mon fils, et te transmets toute la force paternelle qui est encore en moi. Puisse-t-elle t'aider dans ta quête de l'amour et de l'être aimé. Va ! Que la Puissance Profonde du Monde soit en toi et guide tes pas. »

10

Le pendule intérieur

*Aucun chemin ne conduit à la réalisation
de notre quête, mais tous ceux qui ont réalisé
leur quête ont emprunté un chemin.*

Dès le lendemain matin, j'étais prêt à partir.
Eulysis était dans la confidence. Elle se charge-
rait d'expliquer à mes autres amis la raison de
mon absence. J'avais trouvé des habits très
simples ainsi qu'une bonne paire de bottes
auprès du fils de mon valet qui avait la même
taille que moi. Muni d'une besace, d'un bâton
et de quelques pièces de monnaie, je sortis du
château sans même que les gardes me recon-
nussent.

Il me fallut ensuite faire un premier choix difficile : quelle direction emprunter ? Je savais
l'objet de ma quête – rencontrer la femme qui
pouvait réchauffer mon cœur – mais je n'avais

aucune idée du chemin qui m'y mènerait, ni même de la direction à emprunter en quittant le château. Maître Zhou m'avait appris un jour une drôle de technique pour éclairer certains choix difficiles. Elle permettait de me relier à mon intuition lorsque ma raison ne savait quelle décision prendre. Le vieux sage expliquait, en effet, qu'il existait en nous deux instances pouvant éclairer nos choix : la raison, qui se fonde sur l'expérience et procède par des raisonnements ; et l'intuition, qui jaillit tel un éclair lorsque nous nous relions à la Puissance Profonde du Monde. Certaines techniques permettent d'établir ce lien et à notre intuition de s'exprimer. Celle que Maître Zhou m'a apprise consiste à fermer les yeux en me tenant debout et à imaginer quelque chose de très agréable, puis à observer dans quel sens bascule mon corps. Le sens dans lequel il bascule, avant ou arrière, signifie : « Oui, cela est juste ou bon pour moi » et le sens opposé signifie donc : « Non, cela n'est ni juste ni bon pour moi. » Je peux alors poser la question qui me préoccupe et la bascule de mon corps, tel un pendule intérieur, répondra par « oui » ou par « non ». Maître Zhou avait insisté sur le fait que cette méthode – comme toutes les autres de ce genre – n'était pas infaillible, car nos peurs ou

nos désirs peuvent influencer le résultat et para-
siter notre intuition profonde.

À la croisée des chemins, je fermai les yeux et
constatai que mon corps penchait en avant
lorsque je pensais à quelque de doux. Je posai
alors la question : « Vais-je rencontrer la femme
qui réchauffera mon cœur en remontant le vent
du sud ? » Mon corps pencha en arrière, ce qui
signifiait « non ». Je posai la même question
concernant le vent du nord. Mon corps pencha
également en arrière. Je m'interrogeai ensuite sur
la direction du vent de l'est. Mon corps pencha
une nouvelle fois en arrière. Il fallait donc que je
suive la dernière direction, celle du vent d'ouest.
Par acquit de conscience, je posais quand même
la question. À ma grande stupéfaction, mon
corps pencha une quatrième fois en arrière !
Comment était-ce possible ? Comment mener
ma quête en restant immobile ? Comment me
mettre en route en n'empruntant aucun chemin ?
Après un instant de réflexion, je décidai de
poser la question autrement, de manière moins
explicite, selon l'enseignement de Maître Zhou :
« Est-il bon et juste pour moi de remonter le
vent du sud ? » Mon corps pencha cette fois en
avant, ce qui signifiait « oui ». Je fus soulagé et fis

quelques pas en direction du sud, lorsqu'un doute s'empara à nouveau de mon esprit. Je m'arrêtai et posai la même question concernant le vent du nord. La réponse fut également « oui » et il en alla de même pour les vents d'est et d'ouest ! Mon pendule corporel, censé être le reflet de mon intuition, m'indiquait ainsi qu'aucun chemin ne me permettrait d'atteindre l'objet de ma quête, mais il disait aussi que tous les chemins étaient bons pour moi. Quel étrange paradoxe !

Je me souvins alors qu'un jour Maître Zhou m'avait dit cette étrange parole : « Sache, mon enfant, qu'aucun chemin ne conduit à la réalisation de notre quête. » Et il avait ajouté aussitôt, avec un sourire malicieux : « Mais tous ceux qui ont réalisé leur quête ont emprunté un chemin. »

C'est bien plus tard que j'ai compris le sens de ces propos énigmatiques. Pour l'instant, je n'étais guère plus avancé dans le choix de ma direction. Je décidai alors d'utiliser une technique populaire encore plus simple : je lançai un caillou pointu en l'air en décidant de suivre la direction indiquée par la pointe du caillou une fois qu'il aurait atteint le sol.

C'est ainsi que je remontai le vent d'est.

11

Le vagabond

*On peut s'éprendre de la beauté du monde,
comme on tombe amoureux d'une personne.*

Je marchai pendant une journée entière, le plus souvent seul, parfois en compagnie de quelque marchand ou voyageur qui quittait la capitale du royaume. Mon cœur était gonflé d'espoir. Le soir venu, je trouvai une modeste auberge et j'échangeai ma première pièce contre un repas et quelques provisions pour les jours à venir. Je m'endormis au pied d'un grand arbre en regardant le ciel étoilé. Je me sentais libre et heureux loin de la vie au palais et de ses usages parfois si contraignants.

Les jours suivants, comme je n'avais aucun endroit précis où aller, j'errais au gré des rencontres et de mes envies, prenant toujours soin de me mêler le plus possible aux autres afin de multiplier les chances de rencontrer ma bien-aimée, qu'elle demeure dans un bourg ou au cœur d'une forêt profonde.

Chaque fois que je traversais un village, je m'attardais dans les commerces, sur les places, à la fontaine où les femmes venaient remplir leurs jarres. Dans les campagnes, je visitais chaque masure de chaque hameau, prenant n'importe quel prétexte pour croiser le regard des jeunes femmes : mendier un peu d'eau ou de nourriture, demander mon chemin, chercher un prétendu cousin. J'étais le plus souvent bien accueilli, mais pas toujours. Voyant mes habits qui s'étaient transformés en haillons au fil des semaines, il arrivait que les enfants me prennent pour cible de leurs railleries. Il arrivait même que les adultes s'en mêlent, surtout si la récolte avait été mauvaise ou que quelque maladie se fût propagée dans la région. Je fus parfois expulsé d'un village à coup de pierres ou de fruits pourris. Certains considèrent que ceux qui sont différents, les vagabonds, les étrangers, sont responsables de tous les maux qui les frappent. Parfois, à l'inverse, et bien souvent dans les plus pauvres logis, j'étais accueilli avec chaleur et on m'invitait à partager repas et couchage. J'appris ainsi

« Je me sentais libre et heureux loin de la vie
au palais et de ses usages parfois si contraignants. »

beaucoup sur la nature contradictoire de mes semblables.

Un jour, je fus troublé par une scène toute simple. La route traversait une région montagneuse et surplombait un vaste lac. Je venais d'arriver à la lisière d'un hameau de quelques maisons. Un peu à l'écart de sa masure, j'aperçus un vieil homme, seul, qui travaillait son jardin. Il était courbé et arrachait les mauvaises herbes au milieu de plants de légumes. Le jour allait bientôt toucher à sa fin et la lumière du soir était particulièrement douce. Le vieux se releva et regarda un moment le lac silencieux, comme déposé à ses pieds, sur lequel scintillaient les rayons du soleil couchant. Soudain, il écarta les bras et se mit à chanter. Sa voix, forte et grave, tranchait avec son apparente fragilité. Je fus à la fois ému et troublé par la beauté du chant. L'attitude de ce vieux paysan était pour moi incompréhensible. Pourquoi subitement arrêter son travail et chanter au milieu de nulle part, sans aucun témoin ? Je compris alors qu'on pouvait s'éprendre de la beauté du monde, comme on tombait amoureux d'une personne. Comme j'aurais aimé connaître cette brûlure du cœur !

12

La confrontation

Dans toute confrontation,
c'est par la peur que nous sommes vulnérables.

Tandis qu'un soir je m'étais arrêté pour dormir dans une clairière, non loin d'un petit cours d'eau, j'entendis un cri terrible provenant de l'autre côté du ruisseau. Je me précipitai et découvris le spectacle effroyable d'une jeune femme attachée à un arbre et sauvagement fouettée par deux hommes à coups de lanières de cuir. Je n'eus aucune hésitation et je m'interposai, arrachai le fouet et le jetai au loin. Passé le premier instant de stupeur, les deux brutes me demandèrent sur un ton menaçant qui j'étais pour agir ainsi.

« Je suis le prince héritier du royaume et je vous ordonne d'arrêter de battre cette jeune fille ! »

Les hommes échangèrent un regard de surprise, puis éclatèrent de rire.

« Nous ne savions pas que tu étais fou à ce
point ! Tu nous as bien fait rire, vagabond.
Maintenant ôte-toi de là et poursuis ton chemin,
sans quoi tu tâteras aussi de notre fouet.

— Peu importe que vous me croyiez ou
non. De quel droit torturez-vous cette pauvre
femme ? »

Le visage des hommes se fit à nouveau menaçant.

« Peu importe la raison, nous n'avons aucun
compte à rendre à un misérable tel que toi. »

Le plus grand des hommes saisit son gourdin
tandis que l'autre sortit son couteau. Avec le peu
de force qui lui restait, la femme cria :

« Enfuis-toi, vagabond ! Ils te tueront ! »

Aucune discussion ne serait possible avec ces
brutes et ma vie était réellement en danger. Je ne
pouvais laisser cette femme aux mains de ces
hommes, mais avais-je le courage, et le droit, de
risquer ma vie pour cette inconnue ? Je me souvins alors d'une parole de Maître Zhou : « Dans
toute confrontation, c'est par la peur que nous
sommes vulnérables. Un enfant qui ne connaîtrait pas la peur serait plus fort que le plus redou-

table des guerriers qu'il arriverait à faire douter de la supériorité de sa force. »

Je compris qu'il n'y avait qu'un seul moyen de vaincre ces deux adversaires, autrement plus forts et armés que moi : les faire douter de leur supériorité sur moi en dominant toute peur. Je fermai les yeux un bref instant, ancrai mes deux pieds dans le sol et écartai mes poings. Puis je rouvris les yeux et fixai mes adversaires en poussant un furieux cri de guerre. Je ne ressentais plus aucune peur. J'étais certain de les vaincre. Les deux hommes soudain déstabilisés se figèrent dans leur élan vers moi. En cet instant tout pouvait basculer. Une voix sortit de moi, presque méconnaissable, et je m'entendis leur dire :

« Je viens de très loin, et des brutes comme vous, j'en ai tué des dizaines sur mon chemin. Je n'ai pas fini mon long voyage, alors fuyez immédiatement ou je vous pulvérise par la puissance de ma magie. »

J'ouvris les mains et les présentai, paume ouverte, vers chacun des deux hommes. Le plus étrange est qu'à cet instant même j'étais réellement persuadé d'avoir le pouvoir de transformer mes adversaires en lézard ou en rocher. C'est sans doute ce qu'ils lurent dans mon regard, car soudain le plus grand lâcha son gourdin et prit la fuite. L'autre hésita un bref instant avant de faire de même. Je m'approchai de la jeune femme tout aussi terrorisée et la déliai en la rassurant à voix basse :

« Ne crains rien, je n'ai aucun pouvoir magique ! Je voulais juste les effrayer... et cela a marché, visiblement.

— Fuyons, car ils risquent de revenir en plus grand nombre. »

Elle était trop faible pour marcher seule et je la soutenais en m'enfonçant dans la profondeur du bois. Je finis par découvrir une bonne cachette dans le creux d'un sycomore géant et je m'y blottis avec elle. Nous restâmes en silence tandis que je pansais ses plaies avec de bonnes herbes. Peu avant la nuit, nous entendîmes quelques bruits de voix et des craquements de branches au loin. Puis, lorsque je fus certain que le danger était passé, nous profitâmes de la lune pleine pour poursuivre notre marche au plus loin de ce lieu. Épuisés, nous parvînmes au petit matin près d'une chaumière.

« Je connais les gens qui habitent ici, ce sont de lointains parents, me souffla la jeune femme. Il n'y a plus de danger. »

Après avoir dormi et mangé, je retrouvai la jeune fille alitée dans l'unique chambre. Elle s'était lavée et avait repris des forces. Je m'attardai pour la première fois sur les traits fins de son visage. Et ressentis alors une étrange sensation.

13

La marque

Il y a deux sortes de loi :
la loi particulière des cités, nécessaire
mais bien souvent imparfaite, et la loi universelle
de la conscience, qui nous incite à respecter
tout être sensible et à partager notre superflu.

Et si la Puissance Profonde du Monde m'avait mis sur le chemin de cette fille… parce qu'elle était celle qui devait me faire découvrir l'amour ? À cette pensée, mon cœur se mit à battre plus fort. La jeune fille m'adressa la parole d'une voix douce :

« Je ne sais comment te remercier, étranger. Tu as risqué ta vie pour moi. Ton cœur est plein de bonté.

— De bonté, je ne sais, mais épris de justice certainement. Il m'est, comme tout un chacun, pénible de voir une femme se faire maltraiter de la sorte. Que te reprochaient-ils ? »

La jeune fille baissa la tête.

« J'ai volé des fruits dans leur jardin.

— Est-ce une raison pour agir avec tant de violence ?

— La loi du royaume permet à quiconque est victime d'un vol de se faire justice de la sorte. »

Je fus embarrassé, car ce qu'elle disait était vrai. Ne m'étant jamais véritablement éloigné du palais, je n'avais pu considérer les conséquences directes d'une telle loi.

« Pourquoi as-tu volé ?

— J'avais faim.

— N'as-tu donc personne pour t'aider ?

— J'ai mes parents et mes petits frères et sœurs, mais ils ont faim aussi, et c'est aussi pour eux que j'ai voulu dérober ces fruits dans le riche jardin de nos voisins.

— Vos voisins vous laissent donc mourir de faim ?

— Ils n'ont que faire du malheur qui nous arrive depuis que mon père a fait une mauvaise chute et ne peut plus travailler. »

Profondément troublé par ces propos, je découvrais qu'il y avait dans mon propre royaume des familles qui mouraient de faim et d'autres qui, vivant dans l'abondance, pouvaient en toute légalité se venger d'un vol, pourtant si légitime.

Je réalisais alors qu'il y a deux sortes de loi : la loi particulière des cités, nécessaire mais bien souvent imparfaite, et la loi universelle de la conscience, qui nous incite à respecter tout être sensible et à partager notre superflu. Je me jurai alors, une fois que j'accéderai au trône, de changer la loi de ma cité et de la rendre plus juste envers les nécessiteux. J'étais très ému, mais je n'aurais pu dire si c'était par ces paroles ou bien par la jeune femme elle-même.

« Disais-tu la vérité lorsque tu affirmais que tu étais le prince héritier ?

— Non, bien sûr ! C'était pour les impressionner, mais visiblement ça n'a pas fonctionné ! »

Elle éclata d'un grand rire clair. Je passai la journée en sa compagnie. Apprenant le malheur de leurs lointains parents, nos hôtes décidèrent de les faire venir ici, où ils pourraient manger en attendant que son père reprenne son travail. J'appréciais la présence de cette jeune fille, mais je réalisais que mon cœur n'était pas conquis. Il fallait que je reprenne la route. Alors que je lui faisais mes adieux, elle me posa une étrange question :

« Pendant que nous étions ensemble dans la forêt, tu t'es assoupi au petit matin et j'ai remarqué que tu avais une drôle de marque au bas du dos, comme une sorte de cicatrice. D'où te vient-elle ?

— Je suis né avec. Ma nourrice disait qu'elle a toujours été là. Pour moi, il est impossible de la voir, là où elle est située, et j'oublie souvent son existence.

— Sais-tu qu'elle a la forme d'un cœur ? »

14

La vieille femme

Remercie la Vie :
elle est bonne envers tous. Ce sont nos peurs
qui entravent la générosité de son flux.

Les semaines passaient et, hélas, je ne rencontrais aucune jeune fille qui touchât mon cœur. Je décidai alors de quitter la route d'est et de remonter le vent du nord. Comme les chaleurs de l'été arrivaient, c'était aussi une manière de chercher un peu de fraîcheur. J'avais dépensé ma dernière pièce depuis longtemps et il me fallait dorénavant me débrouiller pour trouver de quoi manger. Je ramassais souvent sur mon chemin des baies sauvages ou des champignons, mais il me fallait aussi mendier un peu de nourriture et, encore une fois, les réactions des gens étaient fort diverses et n'avaient rien à voir avec leur richesse ou leur pauvreté. Je découvrais même que les pauvres étaient souvent plus généreux que ceux qui ne manquaient de rien, sans doute parce qu'ils savaient ce qu'avoir faim veut dire et partageaient plus volontiers leur maigre pitance avec un étranger.

Une vieille femme m'invita à manger sa soupe dans son humble cabane. Alors que je la remerciais de sa générosité, elle me répondit :

« Remercie la Vie : elle est bonne envers tous. Ce sont nos peurs qui entravent la générosité de son flux. Alors, nous remplissons nos coffres et nos greniers, au lieu de partager. Et pourtant quand nous sommes généreux avec la Vie, quand nous donnons sans calculer, ni peur de manquer, la Vie est généreuse envers nous. Ce soir, c'est moi qui t'offre un modeste repas. Demain, c'est toi qui viendras en aide à quelqu'un qui est dans le besoin. Quand notre cœur est dans l'amour, il n'y a plus aucune peur et on ne manque jamais de l'essentiel. »

Cette dernière parole me laissa perplexe. Moi qui avais un cœur de cristal, je n'étais pourtant pas insensible à la détresse des autres et l'idée de partage me semblait juste et nécessaire. Mais je comprenais que ce que cette vieille femme nommait « amour », je l'appelais « justice ». Ce qu'elle faisait par empathie, parce que son cœur était

« Quand notre cœur est dans l'amour, il n'y a plus aucune
peur et on ne manque jamais de l'essentiel. »

brûlant, je le faisais par devoir, parce que cela me semblait indispensable pour vivre tous ensemble de manière paisible. Le résultat pouvait être le même, mais la source de l'action généreuse provenait soit du cœur, soit de la raison. Je m'émerveillais de ce que le cœur et la raison puissent ainsi converger pour nous dicter une conduite de vie juste et bonne. Mais j'étais aussi attristé de ne pas avoir accès à ce sentiment d'amour qui donnait à ceux qu'il habitait cette lumière, cette chaleur et cette joie qui m'étaient étrangères.

« Que cherches-tu, mon jeune ami ? reprit la vieille, en allant jeter une bûche dans l'âtre.

— Je suis justement en quête de l'amour.

— Qui ne l'est pas !

— À vrai dire, je n'ai jamais aimé personne. Je suis né ainsi à cause d'un mauvais sort jeté à ma naissance. »

La femme me regarda en silence et me prit la main.

« Mon pauvre enfant ! Si je pouvais faire quelque chose pour toi…

— Un vieux sage m'a dit qu'il existait quelque part une femme qui pourrait m'ouvrir à l'amour. La rencontrer est le but de mon voyage. Mais je ne sais rien d'elle, sinon que mon cœur sera saisi dès le premier regard. »

La femme éclata de rire.

« Ce n'est donc pas moi ! »

Je ris aussi de bon cœur.

« Ça aurait pu l'être ! Il n'a pas précisé son âge. Mais à défaut de faire fondre mon cœur, tu peux néanmoins m'apporter quelque chose.

— Ah oui ?

— Parle-moi de l'amour. »

La femme rit à nouveau. Je poursuivis :

« Je sens que tu en as une longue et forte expérience.

— Ah, ça ! Mais, sais-tu, il prend tant de visages !

— Alors, parle-moi des visages de l'amour… »

15

Les visages de l'amour

On ne peut donner que ce que l'on possède :
celui qui ne s'aime pas ne saura jamais aimer.

« Le premier visage de l'amour que j'ai connu, c'est celui de ma mère. Elle me regardait d'une telle manière que j'avais l'impression d'être l'enfant le plus précieux du monde. Cet amour m'a donné confiance en moi et en la Vie. Grâce au regard aimant de ma mère – et ensuite de mon père, qui aurait sacrifié sans hésiter sa vie pour protéger la mienne –, j'ai su que j'étais aimable et j'ai appris à m'aimer moi-même. C'est très important, sais-tu, de s'aimer soi-même, car on ne peut donner que ce que l'on possède. Celui qui ne s'aime pas ne saura jamais vraiment aimer : il ne cessera de mendier l'attention et la reconnaissance des autres. C'est ainsi que naissent la jalousie et la possessivité. C'est bien souvent parce qu'on manque d'estime et d'amour de soi qu'on a peur, de manière presque maladive, de perdre l'amour des autres.

« J'ai ensuite découvert l'expérience de l'amour avec d'autres enfants : mes frères et sœurs, mes camarades de jeu. Mais là, il était plus ambigu. Il n'était pas inconditionnel, comme celui de mes parents, loin s'en faut. J'étais parfois généreuse et parfois jalouse ou en colère. À certains moments, j'aurais pu donner tous mes jouets à ma petite sœur, et à d'autres, lorsqu'elle accaparait l'attention de ma mère, je souhaitais secrètement qu'elle meure ! J'avais appris à m'aimer, mais il me fallait aussi apprendre à partager l'amour de mes parents. Car l'amour de soi, aussi nécessaire soit-il, doit encore être éduqué pour ne pas chuter dans le piège de l'égoïsme, cet amour exclusif de soi. Je découvrais ainsi que mon cœur était partagé entre d'un côté un besoin de prendre, d'être aimé, reconnu, valorisé, choisi, préféré, et d'un autre côté une capacité de donner, de réchauffer, de s'oublier pour un autre, pouvant aller jusqu'à me sacrifier.

« Adolescente, je découvris un nouveau visage de l'amour, tout aussi ambigu : celui de la passion amoureuse. J'étais traversée par des élans de désir qui m'auraient fait faire n'importe quelle folie pour sauver un garçon que j'aimais, mais j'aurais pu aussi avoir envie de tuer ce même garçon si je l'avais trouvé dans les bras d'une autre fille ! La passion amoureuse mêle étrangement l'amour don et l'amour le plus égoïste qui soit. Elle s'éteint avec le désir physique, qui s'émousse avec le temps. Heureusement, elle a laissé place dans mon cœur à l'amour le plus pur : celui qui fait qu'on aime l'autre pour lui-même et que rien ne nous réjouit plus que son bonheur. J'ai ainsi vécu une relation d'amour avec un homme qui a duré plus de trente ans. »

La vieille femme émue regarda le ciel en poursuivant d'une voix tremblante :

« Nous étions un soleil l'un pour l'autre. Ses joies étaient mes joies et mes joies étaient ses joies. Oh, il y avait certes, parfois, des désaccords entre nous, mais nous ne cherchions pas à convaincre l'autre pour avoir le dernier mot. Nous aspirions ensemble à la vérité et nous progressions main dans la main, avec nos différences, qui nous enrichissaient et nous permettaient de grandir, de voir toujours plus loin. Je dirais que nous étions de vrais amis. Car l'amitié est cette forme désintéressée de l'amour que connaissent aussi les couples qui ne sont plus prisonniers des illusions de la passion.

« L'amour d'amitié n'exige que deux choses : la complicité et la réciprocité. Les amis doivent bien s'entendre, avoir de nombreux goûts et projets en commun, avoir du plaisir à se voir. Mais également partager des sentiments réciproques aussi forts, car si l'un des amis aime moins, la relation sera fragile et ne pourra permettre aux deux amis de s'épanouir. Le grand amour de ma vie, mon plus grand ami, est mort il y a maintenant plus de vingt ans et mon cœur est toujours relié au sien.

— Vous n'avez pas eu d'enfants ?

— Cette joie m'a été refusée. Mais la Vie m'a donné tellement d'autres enfants ! Il y a tant d'êtres que j'ai soignés, éduqués, aidés à grandir. Combien de fois la Vie a mis sur mon chemin des étrangers comme toi, des enfants égarés, des veuves sans ressources ? J'ai eu tellement de bonheur à les accueillir, les soutenir, parfois leur redonner le goût de vivre. Et je ne parle pas de tous ces animaux blessés ou abandonnés qui sont arrivés jusqu'à moi je ne sais comment, que j'ai pansés et recueillis. C'est un autre visage de l'amour encore, celui de la compassion, qui fait vibrer notre cœur à la souffrance de tous les êtres sensibles. Plus encore que tout autre, cet amour universel nous libère de tous nos égoïsmes, de toutes nos peurs, de toutes nos blessures, de tous nos manques. Ce n'est plus nous qui aimons, mais la Puissance Profonde du Monde qui aime en nous, à travers nous, et nous découvrons que nous ne sommes qu'une parcelle de cette Vie qui anime tout ce qui est. Crois-moi : il n'y a pas de plus grand bonheur, un bonheur que rien ni personne ne peut nous enlever. »

Les larmes coulaient sur mes joues. J'étais si triste de ne pouvoir ressentir aucun de ces sentiments. La vieille femme se rapprocha de moi et m'enlaça de ses bras noueux. Je laissais ma tête tomber sur son épaule. Elle me chanta une berceuse et je m'endormis doucement.

16

Le jardin enchanté

Lorsqu'un cœur est ouvert, il vibre à l'unisson du monde : le sourire d'un enfant, le parfum d'une rose, le claquement du vent dans le feuillage des arbres, tout lui parle le langage de l'amour.

J'errai encore en vain pendant trois lunes et je finis par remonter le vent du sud, car le monde devenait trop froid. Je commençais à me décourager. Nulle jeune femme n'avait touché mon cœur. Combien de temps encore faudrait-il que je marche ? Et si seulement j'avais la certitude que ma quête aboutisse ! Mais il n'en était rien. Peut-être que ces chemins ne me menaient nulle part, n'engendrant que fatigue et accablement ? Peut-être que mon destin était de rester seul, le cœur fermé. Après encore quarante jours de marche et bien des rencontres infructueuses, je me trouvai aux portes d'un désert. N'ayant pas envie de rebrousser chemin, je remplis d'eau une grande outre, suffisante, me sembla-t-il, pour les trois ou quatre jours nécessaires à la traversée du désert. Tout se passa bien pendant deux jours, mais au troisième une terrible tempête de sable se leva. Je me blottis dos à une dune. Le vent souffla toute la nuit et au petit matin, je perdis connaissance, presque totalement englouti par le sable. Tandis que mon esprit lâchait prise, je me disais que l'heure du Grand Passage était venue. Je n'aurais pas connu l'amour dans cette vie, tel devait être mon destin.

Je repris conscience dans un jardin luxuriant. Des oiseaux chantaient et j'entendais des bruits de fontaine. J'étais certain d'avoir atteint l'Autre Rive, lorsqu'une terrible soif m'étreignit. Je devais donc être encore bien de ce monde. Je tentai de me lever, mais retombai sans force sur le drap blanc immaculé sur lequel je reposais nu. Je distinguai alors une silhouette de femme qui s'approchait de moi, une coupe à la main.

Elle souleva ma tête et me donna à boire. Je vidai la coupe d'une seule traite avant de m'écrouler de nouveau sur ma couche. Je tournai les yeux vers le visage de la femme, qui était d'une beauté saisissante. Mon cœur se mit à

« Je distinguai alors une silhouette de femme
qui s'approchait de moi, une coupe à la main. »

battre à tout rompre. Je regardais ses yeux bleus en amande, dans lesquels j'avais l'impression de me fondre. Ses lèvres rosées s'entrouvrirent :

« Te voilà sauvé, bel étranger. Repose-toi encore et bois autant que ta soif le réclamera. »

Elle me désigna de la main une cruche et une coupe à côté de ma couche. Mon cœur était bouleversé et je sentais les symptômes de l'amour me traverser : ma poitrine brûlait, mes mains étaient moites et je ne savais que dire. La jeune femme s'esquiva et sortit du jardin.

Je pleurai de joie : il n'y avait aucun doute, j'avais enfin trouvé ma bien-aimée ! J'exprimai toute ma reconnaissance à la Puissance Profonde du Monde et, pour la première fois, je ressentis un amour intense s'emparer de tout mon être à cette invocation. Mes larmes redoublèrent et je ne cessai de remercier la Vie pour ce don inestimable qui m'était fait. Je finis par me lever et je marchai dans le jardin. Tout m'émerveillait : l'éclat des plantes, la force des arbres, le parfum des fleurs, la douceur de la lumière, le chant de l'eau. J'étais amoureux de la beauté du monde. En regardant le bassin, j'aperçus une abeille qui se noyait et mon cœur en fut peiné. Je me précipitai pour la secourir et ma joie fut grande de la voir s'envoler après qu'elle eut secoué ses ailes. Je pouvais enfin ressentir, à travers toutes les fibres de mon être, cette parole que m'avait dite un jour Eulysis : « Lorsqu'un cœur est ouvert, il vibre à l'unisson du monde : le sourire d'un enfant, le parfum d'une rose, le claquement du vent dans le feuillage des arbres, tout lui parle le langage de l'amour. »

Je repensais à la mystérieuse jeune femme qui avait ouvert mon cœur. Comme il me tardait de la revoir, de contempler son visage, de boire ses mots, de sentir son odeur, de regarder la finesse de ses mains ! En même temps, je tremblais à l'idée de ne pas lui plaire, d'être maladroit ou balbutiant. Je l'aimais déjà d'un amour fou, mais cet amour serait-il partagé ?

Je retournai dans la pièce où elle m'avait soigné et l'attendis patiemment, le cœur battant. Je bus à nouveau et mangeai quelques fruits. Mon cœur était toujours très agité et la joie laissait parfois la place à l'inquiétude. La fatigue me gagna de nouveau et je m'endormis.

17

L'épée de lumière

Le bonheur ne réside nulle part ailleurs
que dans notre esprit et dans notre cœur,
qui savourent et partagent les bienfaits de la Vie.

Je me réveillai longtemps après, encore tout imprégné d'un rêve étrange : je m'étais levé de ma couche pour me promener dans le jardin enchanté quand je remarquai une épée de lumière dont la lame était enfoncée dans le creux d'un rocher. Je décidai de m'en saisir et je parvins à la sortir sans effort du rocher. Puis je me rendis dans le bassin et m'allongeai sur l'eau, l'épée à la main. À mon grand étonnement, je flottais. La femme revint alors et me demanda de lui donner l'épée, ce que je fis. Elle s'en saisit et posa doucement la pointe de la lame sur mon cœur. Une lumière intense traversa ma poitrine, traversa encore la gangue de cristal et pénétra mon cœur qui laissa échapper une fumée noire, puis fut totalement baigné de la lumière de l'épée.

À mon réveil, le soleil renaissait de nouveau à l'horizon. Je me sentais bien et me levai d'un bond, me demandant toutefois si je n'avais pas aussi rêvé cette rencontre avec cette femme dans ce jardin féerique. Mais non, je reconnaissais la pièce et le jardin. Dehors, en regardant la belle lumière de l'aube inonder la nature, je fus étonné de constater que mon cœur ne vibrait pas comme la veille. Je regardais les arbres, les fontaines, les oiseaux, les fleurs : rien de ce qui m'avait émerveillé aux larmes ne me touchait à présent. J'étais simplement, comme par le passé, sensible à l'harmonie qui émanait de ce lieu paisible, mais je n'en étais nullement bouleversé. Je vis à nouveau un insecte se débattre dans l'eau de la fontaine et ce spectacle me laissa indifférent. Ce changement me troubla en profondeur. C'est alors que la jeune femme qui m'avait sauvé réapparut.

« Alors, mon bel ami, tu sembles bien ragaillardi ce matin. »

Je la regardais, muet de stupeur. J'observais sa beauté, mais mon cœur ne battait plus. Il s'était refroidi. Une vague de tristesse me submergea.

Que s'était-il donc passé ? La femme constata mon abattement :

« Tu sembles soucieux.

— Je te remercie de m'avoir sauvé la vie. Sans ton secours, je serais sans doute à jamais enfoui dans les sables du désert. Comment es-tu parvenue jusqu'à moi ? »

Elle éclata de rire.

« J'ai quelques pouvoirs secrets ! Un songe m'a avertie du danger que tu courais et j'ai aussitôt dépêché un animal du désert pour te secourir et te ramener ici.

— Qui donc es-tu ?

— J'ai de nombreux noms, mais peu importe. Ici, on m'appelle simplement la magicienne. Parle-moi plutôt de toi. Que cherches-tu ?

— J'ai reçu, enfant, un mauvais sort et mon cœur est enveloppé d'une coque de cristal qui l'empêche d'aimer. Je suis en quête de celle qui pourra réchauffer mon cœur afin de faire fondre cette gaine qui l'emprisonne. Je la cherche depuis de nombreuses lunes à travers les quatre vents. Hier, à mon réveil, lorsque je t'ai regardée, il m'a semblé que j'avais enfin trouvé. Mon cœur était brûlant d'amour pour toi, mais aussi pour le monde. Et ce matin, je me suis levé comme tous les autres matins : le cœur gelé. »

La femme éclata à nouveau de rire.

« Je vais t'expliquer ce qui t'est arrivé, mon tendre ami. J'ai deviné ta souffrance et, lorsque tu t'es réveillé, je t'ai fait boire un philtre magique. Ainsi tu as pu expérimenter les effets de l'amour. »

Elle me tendit de nouveau une coupe.

« Tiens, bois encore, et tu retrouveras les mêmes sentiments. Si tu veux, je peux te donner de cette eau en grande quantité : si tu en bois un peu chaque matin, tu aimeras tous ceux qui seront à tes côtés. Si tu absorbes une quantité plus importante, tu seras fou d'amour pour la personne qui sera en face de toi. Et si tu bois une coupe entière, comme hier, tu pourras donner ta vie pour n'importe quel inconnu. »

J'étais abasourdi. Quelle déception ! Ainsi mon cœur avait-il pu s'ouvrir grâce à une drogue, mais sitôt les effets passés, il se retrouvait tout aussi glacé. Et mon état avait empiré, car j'avais l'intense nostalgie de retrouver les sensations et les émotions que je venais de vivre sous l'emprise du philtre.

Je regardai la coupe, mais refusai de boire. L'amour méritait mieux qu'une simple drogue qui m'attachait à n'importe qui. Le bonheur de l'amour devait s'enraciner dans mon cœur et non dépendre d'un philtre dont je devrais sans cesse être en quête. Non, je voulais aimer un être, ou le monde, par une inclination personnelle et non sous la contrainte aveugle d'une potion magique. Je voulais, comme Maître Zhou me l'avait enseigné, ne pas faire dépendre mon bonheur de choses extérieures. Le vrai bonheur, disait-il, n'a d'autre source que dans l'amitié pour soi-même et l'amour de la Vie. Le bonheur ne réside nulle part ailleurs que dans notre esprit et dans notre cœur, qui savourent et partagent les bienfaits de la Vie.

J'aurais au moins connu, pendant quelques heures, les effets de l'amour, mais je me refusais à revivre cette expérience illusoire. Je remerciai la magicienne de m'avoir sauvé la vie et me levai pour partir. Elle me retint par le poignet.

« Tu m'es sympathique et je vais t'aider dans ta quête. J'ai longuement regardé ton cœur et je l'ai aussi soigné, car il était blessé. Sache cela : on t'a menti. Certes, ton cœur est bien enveloppé d'une gaine de cristal, mais aucune sorcière n'a jamais jeté de mauvais sort à ta mère et cette coque s'est développée pour protéger ton cœur meurtri. Car il a reçu une blessure plus grande encore que la mort de ta mère le jour de ta naissance. La vérité est tout autre. »

J'étais abasourdi.

« Quelle est-elle ? demandai-je, la voix tremblante.

— À toi de la découvrir… »

18

Les trois géants

*Il faut savoir lâcher le besoin de contrôle
de notre mental et accueillir la petite voix
qui jaillit du plus profond de notre être.*

Je repris aussitôt ma route, bouleversé par ce
que je venais de vivre et d'apprendre. La magicienne disait-elle la vérité ? Après tout, elle était,
elle aussi, une sorte de sorcière ! Pourtant, elle
m'avait sauvé la vie et n'avait pas cherché à me
mentir à propos du philtre d'amour, alors
qu'elle aurait pu tenter de me garder sous son
charme grâce à cette drogue. D'ailleurs, ses
paroles trouvaient d'autant plus d'écho en moi
que j'avais souvent, enfant, eu le sentiment
qu'on me cachait quelque chose à propos de ma
naissance. Mais si elle disait vrai, alors de quoi
ma mère était-elle morte et quelle souffrance
plus grande encore avait pu blesser mon cœur

pour qu'il se soit protégé par cette gaine de cristal ? Et pour quelle raison mon père avait-il menti ? Quel terrible secret gardait-il enfoui au fond de lui ?

Absorbé dans ces sombres pensées, je parvins à un petit pont suspendu qui enjambait un puissant torrent. J'allais m'engager sur la passerelle, lorsque je me figeai soudain. De l'autre côté du pont se tenaient trois géants qui devaient mesurer chacun cinq ou six mètres de haut. Je savais qu'il existait de tels êtres aux confins du monde, mais je n'en avais jamais rencontré. Ils avaient la réputation d'être joueurs et fantasques, pouvant faire preuve, selon leur humeur, de grande bonté comme de terrible cruauté. Les géants riaient de bon cœur et semblaient s'amuser de me voir ainsi tétanisé. L'un d'eux s'adressa à moi avec une voix si puissante que le pont frémit sous mes pieds.

« Veux-tu jouer avec nous, mon ami ? »

Une nouvelle fois, je tentai de dominer ma peur et d'avoir l'air le plus serein possible.

« Volontiers, mais à quoi ?

— Nous en sommes heureux ! Le jeu est simple : tu nous poses une question et nous ne pouvons répondre que par oui ou par non. Nous faisons ensuite de même avec toi. Le premier qui donne une mauvaise réponse a perdu.

— Quel est l'enjeu ?

— Si tu perds, tu devras traverser le torrent à la nage. Si tu gagnes, tu pourras emprunter le pont et poursuivre ta route. »

Je regardai l'eau tourbillonnante de la rivière et me dis que j'aurais peu d'espoir de sortir vivant d'une telle épreuve. Mais si je refusais de jouer avec eux, mes chances de survie étaient plus maigres encore.

« Entendu.

— Fort bien ! Quelle est ta question ? »

Puisque j'avais le privilège de commencer, il fallait que je gagne dès le premier coup. Quelle question poser à laquelle j'étais certain qu'ils ne pourraient pas répondre ? Après quelques instants de réflexion, je leur lançai ce défi : « La couleur du bonnet de nuit du roi de mon pays est-elle bleue ? »

Les géants se regardèrent d'un air amusé, puis ils fermèrent les yeux. Après moins d'une minute, celui du centre rouvrit les yeux et me lança d'un air assuré : « Oui. »

J'étais stupéfait. Comment ces êtres qui n'avaient jamais mis les pieds dans le palais de mon père pouvaient-ils connaître la réponse ? N'était-ce que de la chance ? Le géant de droite prit alors la parole : « À nous, maintenant ! Restons dans les couleurs, c'est amusant. Peux-tu nous dire si la veste de mon frère qui est posée derrière ce rocher est bien jaune ? »

Je n'en avais évidemment aucune idée. Plutôt que de tenter ma chance au hasard, je décidai de faire appel à mon intuition selon la technique du pendule corporel enseignée par Maître Zhou. Je fermai à mon tour les yeux et je pensais à quelque chose d'agréable. Mon corps pencha en arrière. Je posai alors la question : « Est-il bon pour moi de répondre "oui" à la question des géants ? » Mon corps oscilla cette fois légèrement en avant. La réponse était donc « non ».

« Bravo ! s'écrièrent les géants en chœur. Tu sembles être un bon joueur, ou alors tu as eu de la chance. »

Je compris qu'ils devaient utiliser une technique similaire à la mienne et faire appel aussi à leur intuition. Si nous restions bien connectés à elle, cela pouvait durer des heures. De fait, après une dizaine de questions du même ordre, nous étions toujours à égalité. J'étais moi-même surpris de constater à quel point notre intuition peut avoir accès à des informations inaccessibles à notre raison. Il faut savoir lâcher le besoin de contrôle de notre mental et accueillir la petite voix qui jaillit du plus profond de notre être, ou bien avoir recours à une technique comme celle que j'utilisais maintenant.

Le géant de gauche fit alors la proposition suivante : « Tu es un redoutable adversaire ! Nous allons corser les règles du jeu. Nous devrons maintenant répondre avec un mot à la question et pas seulement par oui ou par non : si je te demande le nom de notre mère, tu devras le deviner. Et cette fois, c'est à nous de commencer. »

J'étais piégé. Aucune technique intuitive ne pouvait deviner de telles réponses. Celui qui poserait la première question était certain de gagner. Mais je n'étais pas en position de refuser. D'ailleurs, le géant se lança aussitôt : « Mes frères et moi sommes nés le même jour de la même année. Devine notre âge. »

Je restai muet. J'avais entendu dire que les géants pouvaient vivre plusieurs siècles. J'étais de plus en plus agité, ne sachant que faire face à une telle situation. Je priai la Puissance Profonde du Monde de me venir en aide, lorsque j'entendis une voix minuscule me souffler à l'oreille : « Deux cent treize ans. »

Je vis alors un petit scarabée posé sur mon épaule droite qui continuait de me chuchoter : « Sans te commander, ça m'arrangerait bien que tu puisses traverser le pont, car je suis trop fatigué pour voler et j'ai aussi besoin d'aller de l'autre côté. »

Sans même réfléchir à ce qui venait d'arriver, je donnai la réponse aux géants qui restèrent médusés.

« Tu es le plus grand joueur que nous ayons jamais rencontré, étranger ! À toi donc de nous poser ta question. »

Je leur lançai à mon tour, presque sans réfléchir : « Quel est le nom de la femme qui, seule au monde, est capable de réchauffer mon cœur ? »

Les géants se regardèrent un bon moment en silence et celui du centre finit par avouer : « Nous n'en savons rien.

— Tu as gagné, tu peux passer », poursuivit le géant de gauche.

Ce que je m'empressai de faire, le scarabée blotti sur mon épaule. Une fois le pont franchi, je continuai le chemin sur une vingtaine de pas, lorsque le troisième géant m'interpella d'une voix terrifiante : « Et quelle est donc la réponse ? »

Je restai interdit. Je n'en savais strictement rien, mais le confesser aux géants pouvait les contrarier. Il fallait que je dise n'importe quoi. Venu de je ne sais où, un nom sortit de mes lèvres : « Solena ! Elle s'appelle Solena.

— Alors, bonne chance dans ta quête, étranger ! »

« J'entendis une voix minuscule me souffler
à l'oreille : "Deux cent treize ans." »

Je les saluai d'un sourire et poursuivis ma route. Une fois hors de portée de leurs yeux et de leurs oreilles, je déposai le scarabée au bord du chemin, en le remerciant vivement. Il me répondit : « Il faut bien s'entraider lorsqu'on n'est ni grand ni fort... comme toi. Tu as inventé le nom de la jeune femme, n'est-ce pas ? »

Je hochai la tête en signe d'approbation.

« Pas possible ! Tu sais ce que Solena signifie dans notre langue ?

— Non.

— Celle que mon cœur cherche. »

19

Le scarabée amoureux

Les rencontres et les événements de la Vie
sont bien souvent des guides qui viennent nous
rappeler des vérités que nous avons oubliées,
nous apprendre quelque chose sur nous-mêmes,
ou bien encore nous inciter à regarder plus loin.

J'étais intrigué par mon nouveau compagnon.
« Habites-tu par ici ?

— Si tu savais ! Je viens d'une lointaine
contrée, à l'autre extrémité du monde.

— Quelle est ta quête ?

— La même que la tienne et que la plupart
des habitants de cette terre : l'amour ! »

De plus en plus étonné, je lui demandai de me
raconter son histoire.

« Volontiers, mais éloignons-nous davantage,
parce que les géants pourraient regretter de
t'avoir laissé passer. Et si tu veux bien, je reste

accroché sur ton épaule, car j'ai aussi une patte blessée. »

Nous reprîmes donc la route et je marchais d'un pas rapide, tout en questionnant le scarabée sur sa blessure : « Que t'est-il arrivé ?

— Une mauvaise rencontre avec un lézard… Il m'a sectionné la patte arrière gauche tandis que je prenais la fuite. Depuis, je marche cahin-caha avec les cinq autres, ou bien je déploie mes ailes pour voler, mais elles sont aussi bien fatiguées car je les ai beaucoup trop sollicitées depuis mon départ. »

Je brûlais de l'interroger sur son voyage, mais une autre question me taraudait encore l'esprit : « Comment connaissais-tu l'âge des géants puisque tu étais, comme moi, de passage en cette contrée ? »

Il eut un petit rire.

« Avant de partir en voyage, je me suis longuement renseigné sur les habitants des royaumes que j'allais traverser : leurs langues – que j'ai apprises –, leurs manières de vivre, leurs caractères, leurs habitudes. C'est ainsi que j'ai su que les géants de ce pays avaient cette manie du jeu, mais aussi qu'on pouvait connaître l'âge des garçons au nombre de poils de leur barbe, puisqu'il leur pousse un poil chaque année depuis leur naissance.

— Et tu as réussi à les compter ?

— En un seul coup d'œil ! Nous, les scarabées, avons cette capacité d'analyser et de décrypter très vite les informations captées par nos sens. Te concernant, j'ai pu ressentir que ton cœur battait deux fois plus lentement que les autres êtres qui te ressemblent. Tu disais tout à l'heure qu'il était gelé et que tu étais en quête d'une femme qui le réchaufferait ? »

Je lui racontai toute mon histoire.

Nous marchâmes jusqu'au crépuscule. Ayant trouvé une jolie clairière tapissée de mousse, nous fîmes halte pour la nuit. Tandis que je mangeais un reste de pain, mon compagnon grignota un petit morceau de bois en décomposition. Je brûlais aussi de connaître sa quête.

« Depuis combien de temps es-tu parti de chez toi ?

— Sept cent soixante-quatorze ans, sept lunes et neuf jours, répondit-il entre deux bouchées, sans lever les yeux de son écorce pourrie.

— Vous vivez donc si longtemps que ça ? Tu dois être très âgé ?

— Pas du tout ! Nous pouvons vivre dix mille ans. Lorsque j'ai quitté ma maison, je n'avais que mille quatre cent soixante-dix-neuf ans.

— Tu as donc passé plus de la moitié de ton existence loin de chez toi. Pour quelle raison es-tu parti ? »

Il avait fini de manger. Il essuya ses petites pattes dentelées sur de la mousse et commença son récit, une pointe de tristesse dans la voix.

« C'est aussi l'amour, t'ai-je dit, qui m'a conduit sur les chemins du monde. Ma femme est tombée gravement malade peu de temps après notre union. Elle a mangé un champignon empoisonné et a perdu connaissance. Elle peut rester ainsi, sans conscience, pendant des millénaires. Le guérisseur m'a affirmé qu'il existait un antipoison capable de la soigner, mais qu'il ne savait où le trouver et qu'il devait pousser dans un pays lointain. J'aime ma femme plus que tout, plus que ma propre vie. Je suis donc parti parcourir le vaste monde à la recherche de ce remède.

— De quoi s'agit-il ?

— Une variété de bambou d'eau qui donne des fleurs bleues dont on peut extraire le suc. C'est le seul antidote connu au mal de ma bien-aimée. »

Un tremblement me secoua de la tête aux pieds.

« Cette sorte de bambou existe dans le jardin du palais où j'habite ! »

Le scarabée me regarda, interdit.

« En es-tu certain ?

— Absolument ! Et notre jardinier affirme qu'il s'agit d'une variété unique au monde.

— Quelle chance que la Vie t'ait mis sur ma route ! s'exclama le scarabée. Ma longue quête va enfin pouvoir s'achever. Peux-tu me dire où se trouve ton palais ? »

Je réfléchis quelques instants avant de lui répondre. Je savais que la capitale du royaume se trouvait à plus de cent jours de marche de l'endroit où nous nous trouvions. Épuisé et blessé, mon compagnon mettrait plus de cent lunes à effectuer le parcours et il lui faudrait encore au moins autant d'années pour rentrer chez lui, en traversant encore mille dangers. Il m'avait rendu un immense service, il était juste de l'aider à mon tour en le conduisant au palais, puis de dépêcher un cavalier pour le reconduire chez lui au plus vite. Ma propre quête avait échoué, j'en étais maintenant quasiment persuadé, et je songeais de plus en plus souvent à mon père, dont la santé était si précaire, et que je voulais l'interroger sur le secret de ma naissance. L'heure était sûrement venue pour moi de rentrer. La Vie me le signifiait par ce scarabée. Maître Zhou me l'avait souvent répété : « Les rencontres et les événements de la Vie sont bien souvent des guides qui viennent nous rappeler des vérités que nous avons oubliées, nous apprendre quelque chose sur nous-mêmes, ou bien encore nous inciter à regarder plus loin ou autrement. »

Je le pris délicatement au bout de mes doigts en fixant ses petits yeux : « Prenons des forces, ami, car demain nous remonterons le vent d'ouest jusqu'au palais du roi ! »

20

La mort du roi

La Vie, dont nous sommes une parcelle
de conscience, ne saurait mourir.

Quelle ne fut pas mon émotion lorsque je parvins à la capitale du royaume ! J'étais parti depuis bientôt un an. À peine la porte du palais franchie, je tombai nez à nez avec Eulysis. Elle se jeta à mon cou et me serra avec une joie si intense que je crus qu'elle allait m'étouffer. J'étais heureux de la retrouver, mais mon cœur ne bondissait pas comme le sien. Après mon expérience chez la magicienne, j'arrivais maintenant à imaginer ce qu'elle pouvait ressentir et je la laissai longuement m'étreindre.

« Oh, mon tendre et cher ami, j'ai tellement eu peur qu'il te soit arrivé quelque chose !

— Il m'est arrivé tant de choses, Eulysis… Mais rien de mauvais, comme tu le vois.

— As-tu trouvé l'amour ?

— Hélas, non. Ma quête a échoué, même si elle ne fut sans doute pas vaine, car j'ai beaucoup appris sur moi-même et sur les autres.

— Oh, je suis désolée, mon ami. J'ai tant pensé à toi. »

Son visage devint maintenant plus grave. Je sentais qu'elle avait à me dire quelque chose de pénible.

« Comment va mon père ?

— Il est au plus mal. Il ne peut plus manger ni parler depuis quatre jours. Les médecins et les guérisseurs n'ont plus aucun espoir. »

Je me rendis dans mon appartement princier et confiai mon petit compagnon de route à un serviteur pour qu'il en prenne soin, puis j'enfilai une tunique propre et me précipitai dans la chambre où mon père était alité. Tous ceux que je croisais étaient partagés entre la joie de me revoir et la tristesse de la mort imminente du roi. J'entrai dans la pièce. Le grand chambellan, qui venait d'être informé de mon retour, était assis à ses côtés tandis que deux servantes humectaient le visage livide et fermé de mon pauvre père. Le chambellan se leva.

« Je me réjouis vivement de votre retour, prince. Le roi n'en a sans doute plus que pour quelques heures.

— Merci. Mais, je vous en prie, laissez-moi avec lui. »

Tous se retirèrent et je restai seul dans la pièce avec mon père. Ses yeux étaient clos et il respirait avec peine. Je me saisis de sa main et lui caressai le front en lui parlant. À mon contact et au son de ma voix, il eut une légère réaction. Je lui racontai mon voyage. Il me semblait que son visage se détendait. J'en vins enfin à l'essentiel et lui fis part de la parole de la magicienne.

« Père, est-il vrai que tu m'as menti ? Si ce n'est une sorcière qui a tué ma mère et a enfermé mon cœur, que s'est-il donc passé ? Père, je t'en supplie, dis-moi la vérité avant de quitter ce monde. »

Je vis une larme couler sur sa joue.

« Père, dis-moi la vérité ! Libère ton cœur et le mien. »

Sa main serra la mienne. Il jeta ses dernières forces pour se redresser un peu, entrouvrit les yeux et desserra les lèvres. J'approchai ma tête de la sienne pour qu'il n'ait pas trop d'efforts à faire.

« Mon fils… je t'aime tant… pardonne-moi, pardonne-moi…

— Je te pardonne, père. »

J'attendais les paroles qui devaient nous libérer. Mais plus aucun son ne sortit de ses lèvres. Il resta quelques instants figé, les yeux et la bouche ouverts, puis sa tête tomba sur le côté. Il était mort. Son décès ne m'affligeait guère. Car non seulement la gaine de cristal empêchait mon cœur de s'attacher, mais je savais aussi qu'après l'arrêt des fonctions vitales du corps, l'esprit poursuit son long voyage, sans commencement ni fin, et que la Vie, dont nous sommes une parcelle de conscience, ne saurait mourir. J'étais avant tout désespéré de ne toujours pas connaître la vérité sur ma naissance.

« Père, dis-moi la vérité !
Libère ton cœur et le mien. »

21

Le bambou bleu

Y a-t-il au monde
un bien plus précieux que l'amitié ?
Cet amour désintéressé
qui ne souhaite que le bonheur de l'ami
et ne cesse de se réjouir de sa présence ?

« Je suis tellement navré pour ton père, me dit le scarabée alors que je regagnais mon appartement, quelques heures après son décès.

— Merci de ta sollicitude, mon ami. Il est heureux toutefois que j'aie pu le voir avant son départ pour l'Autre Rive.

— A-t-il parlé du secret de ta naissance ?

— Hélas, non. Je suis arrivé quelques jours trop tard. Ses dernières forces l'ont abandonné quand il allait se confier.

— D'autres personnes connaissent peut-être la vérité ?

— C'est probable. Il faudra que j'interroge le grand chambellan et Maître Zhou : aucun secret ne doit leur être étranger. Les émissaires partent annoncer la mort du roi. Les nobles viendront des quatre vents du royaume assister au rituel du Grand Passage, qui aura lieu dans cinq jours. Trois jours plus tard, je serai couronné. Selon nos lois, je dois choisir une reine d'ici là, afin que nous nous unissions pendant la cérémonie de mon intronisation. Tout cela me pèse tant…

— Quel curieux destin que de naître pour devenir un jour roi… Je ne t'envie guère. Mais tu pourras certainement être utile à ton peuple et améliorer les lois de ce royaume qui, à ma connaissance, ne sont pas parmi les plus exemplaires du monde connu.

— J'en suis conscient et ce voyage m'a ouvert les yeux sur bien des choses. Le plus dur va être de me résoudre à m'unir pour la vie à une femme que je n'aime pas, alors que je sais qu'il existe quelque part en ce monde un être qui pourrait libérer mon cœur. Mais, avant cela, nous avons toi et moi quelque chose de très important à faire. Saute sur mon épaule ! »

Nous nous rendîmes dans le jardin suspendu, au cœur du palais. Là se trouvait un bassin où poussait le bambou aux fleurs bleues. Je m'assis sur la margelle et sectionnai délicatement une fleur. Le scarabée ne disait mot, tant il était ému.

« Et voilà ! Apportons-la de ce pas à l'alchimiste du château qui va en extraire le suc. Dès demain, mon cher ami, tu partiras avec le meilleur cavalier du royaume apporter le remède à ta bien-aimée.

— Je ne sais comment te remercier et comment rendre grâce à la Vie pour ce cadeau inestimable ! Après presque sept cent soixante-quinze ans de quête aux quatre vents du monde, j'ai peine à croire que je serai bientôt de retour chez moi avec le contrepoison. Que bientôt je verrai les yeux de ma chère épouse. Que j'entendrai le son de sa voix. »

Le scarabée reconnaissant poursuivit :

« Y a-t-il au monde un bien plus précieux que l'amitié ? Cet amour désintéressé qui ne souhaite que le bonheur de l'ami et ne cesse de se réjouir de sa présence ?... J'ai cependant encore une petite faveur à te demander.

— Tout ce que tu veux !

— Je ne suis plus à quelques jours près et j'aimerais assister à ton couronnement. Si tu en es d'accord, je partirai au lendemain de la fête, comme cela je resterai auprès de toi pendant ces moments importants et difficiles.

— Je ne peux refuser ta demande et je serai heureux de t'avoir encore un peu à mes côtés. Jamais je n'aurais pensé avoir un jour pour meilleur ami un scarabée… »

22

Où se cache la vérité ?

*La vérité libère notre cœur, même si
elle est parfois aussi brûlante qu'une flamme.*

Le lendemain matin, se tint le Grand Conseil du Royaume afin de préparer les cérémonies. À la fin de la séance, je pris le chambellan en aparté.

« Sur son lit de mort, mon père a commencé à me confesser qu'il m'avait menti à propos du décès de ma mère et de mon cœur gelé. Il m'a demandé pardon et son esprit l'a quitté avant qu'il ne m'explique ce qui était vraiment arrivé. »

Le grand chambellan devint blême.

« Que dites-vous là ?

— Confiez-moi ce que vous savez ! Vous veniez d'être nommé chambellan du royaume lorsque je suis né, et j'ai du mal à croire que vous ne connaissez pas la vérité.

— Je puis vous assurer, prince, que tout s'est passé comme votre défunt père vous l'a toujours raconté. Je pense qu'il a dû délirer au moment de mourir et que vous ne devez point être troublé par ses propos.

— Je suis certain qu'il avait toute sa tête. Sachez aussi qu'une magicienne m'a révélé ce mensonge lors de mon voyage aux confins du royaume. Dites-moi la vérité, je vous l'ordonne. Vous savez comme moi qu'une vie fondée sur un mensonge ou sur une illusion ne peut être satisfaisante. La vérité libère notre cœur, même si elle est parfois aussi brûlante qu'une flamme. »

En guise de réponse, le grand chambellan m'invita à le suivre dans la salle secrète des registres à laquelle, en temps normal, seul le roi avait accès. Il demanda à un serviteur royal de nous porter le registre de l'année de ma naissance, où tous les événements du royaume étaient consignés. Puis il me montra que tout ce que mon père m'avait rapporté était inscrit : le procès de la sorcière, la malédiction, la mort de ma mère et l'exécution de la sorcière. J'étais profondément troublé. Je restais au fond de moi convaincu de la réalité du mensonge, mais il était impossible d'en trouver la moindre preuve.

Il me faudrait attendre d'être intronisé pour percer à jour cette histoire. En attendant, j'avais un tout autre souci, que le chambellan n'avait pas manqué de me rappeler : trouver une épouse. Je ne voyais qu'une seule possibilité, sa propre fille, Eulysis. Elle avait toutes les qualités pour remplir cette fonction et m'aimait plus qu'aucune autre femme. C'était le choix le plus raisonnable. Le soir même, je lui donnai rendez-vous et m'ouvris à elle de ce projet. Une fois encore, elle me surprit par sa réponse.

« Mon tendre prince, même si tu n'en laisses rien paraître, je sais que tu te résignes à ce mariage faute d'avoir trouvé la femme qui pourrait réchauffer ton cœur. Il reste encore sept jours avant la cérémonie du couronnement. J'accepterai de t'épouser seulement la veille de ce jour, lorsque le nom de la future reine devra être connu, et je te promets que si tu rencontres plus tard la femme de ta vie, je me retirerai du palais pour la laisser régner à tes côtés.

— Je suis, une fois encore, touché par ton amour si pur, ma chère Eulysis. Mais tu sais bien que nos lois sont intangibles : un roi ne peut régner sans une reine et il ne peut jamais se remarier, à moins qu'elle ne vienne à mourir.

— Eh bien, je me donnerai la mort, s'il le faut ! Comment pourrais-je vivre à tes côtés sachant que tu pourrais être plus heureux avec une autre femme ? »

Je serrai longuement Eulysis dans mes bras et maudis ce sort qui me rendait incapable d'aimer, car j'avais trouvé la femme la plus aimable et la plus aimante qui soit.

Le soir, je rentrai dans ma chambre, épuisé par cette terrible journée. Mon ami le scarabée vint me trouver. Il avait l'air si joyeux que son bonheur me fit presque oublier le poids de mes soucis.

« Ta joie de retrouver ta bien-aimée est si communicative !

— Bien sûr, bien sûr… mais ce qui me rend ce soir si heureux te concerne.

— Que veux-tu dire ?

— Cet après-midi, j'ai eu un petit creux et je suis descendu dans les cuisines du château pour tenter d'y trouver quelques restes de nourriture en décomposition. Tandis que je fouinais dans une poubelle, j'ai entendu un marmiton appeler une aide-cuisinière, au visage ravissant, qui devait avoir à peine ton âge. J'ai sursauté en entendant son nom.

« Comment pourrais-je vivre à tes côtés sachant
que tu pourrais être plus heureux avec une autre femme ? »

— Qu'avait-il de si particulier ?

— Elle s'appelle d'un nom que je n'ai jamais encore entendu dans ce royaume... si ce n'est dans ta propre bouche !

— Que veux-tu dire ?

— Te souviens-tu du nom que tu as inventé pour répondre au géant qui te demandait celui de la femme que ton cœur cherche ?

— Solena.

— Eh bien figure-toi que c'est le nom de cette jeune fille qui travaille depuis un peu plus d'un an dans la cuisine de ton propre palais... »

23

Solena

*Un être qui a soudain le cœur brûlé par l'amour
semble se perdre ou s'oublier, alors qu'il est
plus présent à lui-même qu'il ne l'a jamais été.*

Au matin suivant, je me précipitai dans le grand escalier qui menait aux cuisines du château. Là, je restai tout d'abord dans un coin à observer l'agitation qui y régnait. Je reconnaissais certaines cuisinières qui étaient là depuis mon enfance. D'autres visages de femmes plus jeunes m'étaient inconnus, mais aucun ne correspondait à la description que m'en avait faite mon ami le scarabée. Peut-être ne travaillait-elle pas ce jour-là ? C'est alors que j'entendis une voix crier au milieu de la salle : « Solena, rapporte aussi un seau de farine brune !

— Entendu », répondit une voix derrière moi.

Je me retournai et aperçus une silhouette se faufiler vers l'arrière-cuisine, où se trouvaient stockés les aliments. Je la suivis et entrai à mon tour dans la pièce sombre, juste au moment où elle se redressait.

« Oh pardon ! » lança-t-elle, surprise par ma présence, alors qu'elle soulevait son seau et faillit me heurter. Je la regardai droit dans les yeux. Le temps s'arrêta. J'étais tout simplement sidéré par son visage. Chacun de ses traits m'était familier, jusqu'à son sourire gêné, mais suffisamment avenant pour ne pas me mettre à mon tour mal à l'aise. Je ne pouvais baisser les yeux et aucune pensée ne m'agitait. Je ressentais les effets à la fois enivrants et apaisants de l'amour : un être qui a soudain le cœur brûlé par l'amour semble se perdre ou s'oublier, alors qu'il est plus présent à lui-même qu'il ne l'a jamais été et réveille la joie qui sommeillait en lui. Mon cœur était dans une parfaite sérénité, une paix comme je n'en avais pas connu auparavant. Tout n'était qu'évidence. J'étais pleinement heureux. Elle-même restait étrangement calme et silencieuse et je pouvais lire aussi dans ses grands yeux une vive émotion. Des larmes chaudes coulèrent sur mon visage. Solena en fut troublée.

« Puis-je vous aider ? Cherchez-vous quelque chose ?

— Vous ! Je ne cherche que vous. Et depuis si longtemps. »

24

Le rêve

Lorsque ton cœur est inquiet, cesse d'imaginer
le pire, car tu risques de le provoquer
par la force de tes pensées.
Songe au contraire que tout est pour le mieux
et tu convoqueras le sort en ta faveur.

Je n'avais osé prolonger cette première rencontre car j'avais peur d'effrayer Solena. Mon cœur était léger, joyeux, plein. Je quittai précipitamment les cuisines sans autre explication. Je regagnai ma chambre et racontai cette rencontre au scarabée.

« Toi aussi, tu as enfin atteint ta quête, mon ami ! Notre rencontre nous a comblés l'un et l'autre.

— Oui, seuls nous n'y serions peut-être jamais parvenus.

— Même s'il est chamboulé, ton cœur semble plus apaisé qu'agité, ce qui est le signe d'un amour mûr et profond, et non d'un simple coup de foudre amoureux, comme nous aurions pu l'imaginer.

— Que veux-tu dire ?

— Tu as, me semble-t-il, expérimenté la passion amoureuse à l'égard de la magicienne lorsque tu as bu le philtre. Ressens-tu la même chose avec cette jeune femme ?

— C'est très différent, en effet. Sous l'effet de la drogue, je brûlais de désir pour la magicienne et sa présence me troublait. Il en va autrement pour Solena : sa présence m'apaise et nourrit mon cœur d'une joie douce et profonde.

— Tu as donc, sacré veinard, atteint directement le second palier de la relation amoureuse : ce sentiment qui relie deux êtres dans une si profonde complicité, qu'il n'y a plus de trouble ni de doute, contrairement au premier stade de la passion, où tous les sens sont agités et exaltés. C'est assez curieux…

— Peu m'importe ! Mon cœur s'est réchauffé dès le premier instant où je l'ai vue, comme Maître Zhou l'avait prédit. Je ne sais comment remercier la Vie d'avoir permis un tel miracle !

— Il va maintenant falloir lui expliquer tout ça. Et espérer que tes sentiments pour elle soient partagés.

— C'est étrange, mais je n'ai aucun doute à ce sujet. J'ai lu dans ses yeux un trouble profond lorsqu'elle m'a regardé. Elle aussi était bouleversée, mais n'en connaissait certainement pas la raison. »

Suivant le conseil de mon ami, je laissai passer la nuit pour être sûr que mon amour pour Solena ne s'envolerait pas aussi vite qu'il avait surgi. Je n'arrivais pas à trouver le sommeil, mon esprit était agité par toutes sortes de pensées. Je songeais notamment à la curieuse expérience que j'avais faite en quittant le palais, il y a presque un an. Reliée à la Puissance Profonde du Monde, mon intuition m'avait alors indiqué qu'aucun chemin ne permettrait de réaliser ma quête… ce qui était très juste, car la femme qui pouvait réchauffer mon cœur vivait ici même, dans ce château, et je ne le savais pas ! Mais mon intuition m'avait aussi indiqué qu'il serait bon pour moi de parcourir les chemins, ce qui était tout aussi juste, car j'avais appris tant de choses précieuses au cours de ce voyage, fait de si belles et instructives rencontres, que j'en étais revenu transformé pour toujours. Je finis par m'endormir, mais je fis un rêve étrange. L'un des deux érables gelés du jardin de Maître Zhou avait séché complètement et était mort. Aussitôt, il s'était transformé en une poudre d'or qui était venue recouvrir l'écorce de l'autre érable. Ce second arbre avait dégelé presque instantanément et s'était mis à croître et à développer un magnifique feuillage rouge et or.

Après une courte nuit, je me réveillai le cœur plein et confiant. J'envoyai un serviteur chercher Solena aux cuisines. Afin de ne pas l'effrayer, je devais apprendre à la connaître avant de tout lui expliquer. Le serviteur revint dépité.

« Prince, la jeune femme n'est pas venue travailler ce matin. J'ai interrogé les cuisinières : elle semblait très troublée hier soir, ce qui n'a pas manqué de les intriguer.

— Sais-tu où elle demeure ?

— Dans une modeste pension, non loin du château.

— Pars immédiatement avec Jahava, la plus ancienne des cuisinières, et deux hommes, et ramène-la au château sans lui faire peur. »

J'étais rongé d'inquiétude et mon cœur avait perdu la paix. Moins d'une heure plus tard, un temps qui me sembla une éternité, le serviteur revint. Je me précipitai sur lui, le cœur battant.

« Alors ?

— Elle a quitté la pension tôt ce matin avec le peu d'affaires qu'elle possédait. Nul ne sait dans quelle direction elle est partie, ni où elle se rendait. »

D'après les quelques informations que je pus recueillir auprès des autres cuisinières, elle avait perdu sa mère il y a plus d'un an et n'avait nulle autre famille, ce qui l'avait poussée à venir chercher du travail au palais. Il était probable qu'elle ait cherché à regagner son ancien village, à l'extrême est du royaume, là où elle devait avoir quelques connaissances. Je décidai donc de remonter le vent d'est avec une troupe de cavaliers. Par précaution, j'envoyai d'autres patrouilles remonter les vents du sud, d'ouest et du nord. En chevauchant, je me rendis compte que mon cœur battait beaucoup plus fort et beaucoup plus vite qu'auparavant. L'idée de ne jamais la revoir m'angoissait à tel point que j'en avais la nausée. Je repensais alors à une parole de Maître Zhou : « Lorsque ton cœur est inquiet, cesse d'imaginer le pire car tu risques de le provoquer par la force de tes pensées. Songe au contraire que tout est pour le mieux et tu convoqueras le sort en ta faveur. »

Elle n'avait qu'une demi-journée d'avance sur nous et nous aurions dû la rejoindre en moins d'une heure de chevauchée. Ne l'ayant pas trouvée sur la route après deux bonnes heures de galop, nous revînmes sur nos pas en interrogeant voyageurs et commerçants. C'est ainsi que nous apprîmes d'un aubergiste qu'il avait vu une jeune femme chargée d'un gros baluchon s'arrêter quelques heures auparavant et demander la route qui conduisait à un petit hameau distant d'une dizaine de lieues. Mon cœur retrouva espoir et nous nous rendîmes à bride abattue au village en question. Là, on nous indiqua l'arrivée récente d'une jeune fille dans la dernière maison du hameau dont nous apprîmes qu'elle appartenait aux parents d'une servante du château. Je demandai aux soldats de m'attendre et je me glissai avec précaution derrière la masure. À travers une petite fenêtre entrouverte, je pouvais observer l'intérieur de l'unique pièce du bas. Mes yeux se posèrent sur Solena qui partageait une soupe avec un couple assez âgé assis autour d'une table, au centre de la pièce. Lorsque je vis son visage, mon cœur ressentit un immense soulagement. Je ne pus retenir un soupir, si puissant que le vieux leva la tête en ma direction.

« Holà ! Y a quelqu'un ? »

Je décidai de me découvrir et frappai au carreau. Le vieux se leva et vint ouvrir. Je lui expliquai à voix basse que je venais de la part du prince et lui demandai de dire à Solena de me rejoindre dehors. Quelques instants plus tard, la jeune femme franchit le seuil de la porte, visiblement apeurée.

« Vous !

— N'ayez crainte, je vous en prie ! Je ne vous veux aucun mal, bien au contraire. »

Solena me contempla comme la veille, sans parvenir à prononcer un seul mot. J'étais tout aussi ému et j'aurais pu rester des heures dans cet échange de regards, mais je savais qu'elle avait besoin au plus vite d'explications.

« Pourquoi donc vous être enfuie du château ?

— Qui êtes-vous ?

— Le prince de ce royaume. »

Elle recula d'un pas sous le choc de cette annonce. Je la retins par la main. Le contact de sa peau me fit tressaillir. Elle retira précipitamment sa main.

« Encore une fois, n'ayez crainte !

— Que me voulez-vous…, seigneur ? Je ne suis qu'une simple servante…

— Pourquoi avez-vous fui le château ? »

Solena baissa la tête. Je vis que son visage s'était empourpré. Elle finit par lâcher, la voix tremblante :

« J'ai été fort troublée par cette rencontre. Je ne savais qui vous étiez. Mais j'avais trop peur de vous revoir.

— Pourquoi ? Quel danger pouvais-je représenter pour vous ? »

Elle releva les yeux.

« Je ne saurais dire. Mon cœur s'est tellement emballé quand je vous ai croisé… et puis…

— Poursuivez, je vous en prie !

— J'avais l'impression de vous connaître depuis toujours et en même temps c'était impossible.

— Moi aussi, Solena, j'ai eu ce même sentiment. C'est la raison pour laquelle je voulais vous revoir et j'ai lancé mes cavaliers ce matin aux quatre coins du royaume.

— C'est une folie ! Je ne suis rien qu'une…

— Peu importe que vous soyez riche ou pauvre, cultivée ou inculte, d'Orient ou d'Occident. Peu importe encore votre âge ou la couleur de votre peau. Dès que nous nous sommes vus,

« Dès que nous nous sommes vus,
votre cœur a parlé au mien le même langage. »

votre cœur a parlé au mien le même langage. J'aimerais vous raconter mon histoire pour que vous compreniez pourquoi vous êtes si importante pour moi. Et j'aimerais tant aussi que vous me racontiez la vôtre... Revenez au château, vous serez mon hôte et pourrez repartir quand il vous plaira si vous n'êtes pas en paix. Voulez-vous ? »

La jeune femme baissa à nouveau la tête.

« Je vous en prie, Solena... »

Elle releva lentement son visage vers moi. Ses yeux semblaient brouillés par des sentiments contradictoires et mon propre cœur se serait sans doute arrêté de battre si elle avait refusé.

« Je vous suis, prince. »

25

Le dîner

*Il faut savoir attendre le moment opportun
pour dire certaines vérités
qui peuvent bouleverser un être.*

De retour au palais, je fis conduire Solena dans un appartement réservé aux hôtes de marque. Je la confiai aux soins d'une servante pour qu'elle puisse se baigner et changer ses vêtements. Puis je l'invitai à me retrouver le soir pour un dîner en tête à tête dans le jardin et regagnai la salle du trône pour prendre des nouvelles des cérémonies. Mon esprit était totalement accaparé par la rencontre avec Solena, mais il fallait que je me concentre sur les affaires du royaume. À peine entré dans la salle, je fus pris à partie par le chambellan, qui parlait avec une dizaine de conseillers.

« Ah, prince, enfin ! Nous vous cherchions partout pour vous soumettre le protocole du rituel du Grand Passage. Je vous rappelle qu'il a lieu demain. Il paraît que vous étiez fort occupé à pourchasser une servante hors de la ville ! Cela ne vous ressemble guère.

— Veuillez m'excuser. Une affaire personnelle, en effet. L'incident est clos. »

Un conseiller prit la parole : « Nous espérons qu'elle en valait la peine au moins ! »

Je stoppai les ricanements d'un ton sec : « Ce n'est pas ce que vous croyez. Parlons plutôt de cette cérémonie. »

À la fin de la réunion, le chambellan me prit à part : « Qui donc est cette jeune femme que vous avez fait rechercher ?

— Une servante de cuisine, comme vous le savez.

— Pourrais-je vous demander, prince, en quoi son absence du palais, ce matin, vous a-t-elle à ce point préoccupé ? »

J'hésitais à lui dire la vérité. Il fallait que je sois absolument sûr de moi pour affirmer que j'avais enfin rencontré la femme que je voulais épouser. D'autant qu'elle n'était qu'une simple femme du peuple. Il était plus sage de revoir

Solena et d'attendre la fin de la cérémonie du Grand Passage pour lui avouer la vérité. Je souris.

« Mon cœur ne vibre pas encore, mais mon corps, oui ! J'ai trouvé cette jeune fille fort à mon goût, quoiqu'un peu sauvage ! Je l'ai installée dans une aile du palais pour mieux l'apprivoiser. »

Le chambellan sourit à son tour. Je lus pourtant dans son regard qu'il ne croyait pas un seul mot de mes explications.

« Vous semblez changé, prince. Très changé. Votre voyage vous a transformé plus que je ne le pensais. Puis-je tout de même vous rappeler que vous avez une reine à trouver ? »

J'attendis le dîner dans un état de grande excitation. J'étais à la fois empli de bonheur et profondément anxieux. Par précaution, j'avais demandé à deux gardes de surveiller discrètement l'entrée de l'appartement de Solena, afin qu'elle ne tente pas à nouveau de s'enfuir, mais aussi que nul ne vienne l'interroger. Je craignais surtout que le chambellan ne soit tenté de faire sa petite enquête sur son compte.

Je demandai conseil à mon ami le scarabée : fallait-il raconter à Solena toute mon histoire, au risque de l'effrayer ?

« Il faut savoir attendre le moment opportun pour dire certaines vérités qui peuvent bouleverser un être. Il est nécessaire de le préparer à entendre ce que son cœur ou sa raison ne saurait encore accepter », répondit-il.

Il me conseilla en l'occurrence de lui dire maintenant la vérité sur mon histoire, sans pour autant manifester trop ouvertement mon amour pour elle, qui pouvait la faire reculer, surtout s'il n'était pas partagé. C'était bien la chose que je redoutais le plus. Je l'avais sentie touchée et elle-même me l'avait avoué. Mais de là à ce qu'elle puisse envisager de devenir dans quelques jours la future reine du royaume… Une fois prêt, j'allai me recueillir en silence pour arriver au dîner le plus calme possible.

Une belle table avait été dressée à côté du bassin où nous avions coupé une fleur de bambou bleu. Des chandelles étaient allumées. Personne ne pourrait entendre notre conversation, hormis le scarabée que j'avais convié à se tenir discrètement caché dans un repli de ma tunique. Ainsi pourrait-il me souffler un précieux conseil en cas de difficulté.

À peine étais-je arrivé près du bassin que j'entendis un pas léger s'approcher. Je me retournai : Solena avait huilé et lissé ses longs cheveux et déposé un peu de poudre noire sur les bords de ses cils. Sa beauté était éclatante. Mon cœur faillit exploser. Je la regardais sans pouvoir prononcer un seul mot.

« Eh bien, prince, vous n'appréciez peut-être pas la tenue que votre servante m'a apportée ?

— Au contraire. Vous ressemblez bien davantage à une princesse qu'à une femme de cuisine. Et vous marchez avec tant de grâce que j'en suis troublé. »

Nous commençâmes à manger, et à boire quelques vins raffinés. Mon anxiété disparut et laissa la place à une joie douce et profonde. Solena semblait aussi de plus en plus à l'aise. Je lui demandai de me raconter son histoire

« Je suis née dans un village à l'extrémité est du royaume, à plus de trois lunes à pied d'ici. Ma mère a perdu son mari lorsque j'étais bébé et ne s'est jamais remariée. Je n'ai donc jamais eu la chance d'avoir des frères et sœurs.

— Tout comme moi ! Ma mère est morte le jour même de ma naissance et mon père n'a jamais voulu reprendre une autre épouse.

— Oui, je suis désolée pour vous.

— Comment viviez-vous, enfant ?

— Ma mère était une simple paysanne, mais elle a toujours veillé à mon éducation et j'ai fréquenté l'école de la ville pendant mon enfance. Elle travaillait un peu la terre, et je l'ai aidée lorsque j'ai grandi, mais comme elle avait reçu un petit héritage avant ma naissance, nous n'avons jamais été dans le besoin. C'est seulement quand elle est morte, il y a plus d'un an, que j'ai décidé de venir travailler dans la plus grande cité du royaume.

— Pour quelle raison ?

— J'avais envie de découvrir le vaste monde. Et puis j'avais entendu tellement de choses sur le faste du château que je rêvais un jour de m'y rendre. C'est ainsi que je suis venue frapper à la porte du palais en quête d'un travail et que j'ai eu la chance d'être engagée aux cuisines parce qu'une servante venait de partir pour enfanter.

— Et moi-même j'allais quitter le palais quelques semaines seulement après votre arrivée. Si j'avais su !

— Je n'ai pas bien compris, prince, la raison de votre long voyage. Beaucoup s'interrogeaient au palais… »

Le moment était venu de raconter ma vie à Solena. Je lui narrai tout depuis le début : le maléfice, mon incapacité à aimer, ma quête de l'amour, mon retour au château. J'allais lui dire que mon cœur avait été enfin touché depuis notre rencontre, mais c'est à ce moment précis qu'elle me fit une bien étrange confidence.

26

La confidence

Nous ne faisions plus qu'un
et le temps avait fait place à l'éternité.

« Votre histoire me touche beaucoup, prince.
Et je dois vous confesser une chose que je n'ai
jamais pu dire à personne. »

La jeune femme, très émue, chercha longuement ses mots.

« Nos vies sont différentes, voire opposées,
mais il y a cependant un aspect très curieux qui
nous rend si semblables. »

Je retins mon souffle.

« Je suis moi aussi, depuis ma plus tendre
enfance, atteinte du même mal que vous : rien,
ni personne, ne parvient à faire vibrer mon cœur.
J'ai toujours ressenti une forme de tendresse
pour ma mère et ceux que j'ai ensuite rencontrés,
mais jamais mon cœur n'a été véritablement tou-

ché ou bouleversé… jusqu'à ce que je vous croise, l'autre jour, dans les cuisines du palais. »

Elle rougit et baissa la tête. J'étais ému aux larmes. Nous partagions donc le même handicap et nos cœurs s'étaient réchauffés au même instant, dès le premier regard échangé. Je ne pus m'empêcher de lui saisir la main.

« Solena, si vous saviez ce que j'ai ressenti aussi ! C'est donc pour ça que vous avez fui ?

— Oui. J'étais trop ébranlée. Je ne comprenais pas ce qui m'arrivait. J'étais si troublée par l'intensité de vos yeux. Votre regard me brûlait.

— Il en va de même pour moi. Vous avez réveillé mon cœur endormi. C'est ce que je voulais vous dire ce soir. Tout mon être vibre pour vous.

— Moi aussi… mais comment est-ce possible ? Nous ne nous connaissions pas…

— Je n'en ai aucune idée, pourtant je suis aujourd'hui persuadé que le destin nous a réunis pour nous aimer et nous guérir à jamais. »

Je me rapprochai d'elle et la serrai délicatement dans mes bras. Elle se laissa faire et, sans lever les yeux, se lova contre moi. Nos deux cœurs battaient si fort que nous pouvions les entendre malgré le bruit de la fontaine. Je ressentais un sentiment de totale plénitude. Je n'exis-

« Nos deux cœurs battaient si fort que nous pouvions
les entendre malgré le bruit de la fontaine. »

tais plus, elle n'existait plus. Nous ne faisions plus qu'un et le temps avait fait place à l'éternité.

Après un long moment, une seule parole put franchir la porte de mes lèvres :

« Je t'aime, Solena. »

Elle se serra encore plus contre moi. Je sentis ses larmes couler contre mon cou.

« Je t'aime, mon prince. »

Elle essuya ses larmes et ajouta :

« C'est le plus grand jour de ma vie.

— Pour moi aussi, ma bien-aimée. »

27

Le Grand Passage

La mort est comme la naissance : un passage vers un nouveau monde dont nous ne pouvons rien imaginer. C'est pourquoi elle nous effraie tant.

Nous restâmes toute la nuit blottis l'un contre l'autre. Sans même échanger un seul baiser, ni un seul mot de plus. Nous étions si totalement unis, que cette présence l'un à l'autre remplissait notre être et nous rendait plus heureux que nous n'aurions jamais pu l'imaginer. J'avais renvoyé les serviteurs dès le début du dîner et mon ami le scarabée s'était aussi discrètement éclipsé. Nous étions seuls dans le jardin. Nous étions seuls au monde. Et nous savions que nous ne nous sentirions plus jamais seuls.

L'aube arrivant, je craignis que le secret de notre amour ne soit vite dévoilé. Je portai Solena assoupie jusque dans sa chambre. Nous étions à quelques heures seulement de la cérémonie du Grand Passage. Il m'était extrêmement douloureux de la quitter, mais je n'avais guère le choix. Solena me laissa aussi partir bien à regret et je la laissai aux soins de la servante et de deux gardes, mais aussi de mon ami le scarabée, qui me promit de veiller sur elle comme si c'était sa propre bien-aimée.

Je rejoignis le Grand Conseil, l'esprit et le cœur totalement ailleurs. Un des conseillers le fit aussitôt remarquer : « Vous m'avez l'air fort heureux, prince. Je n'ai jamais vu une telle lumière dans vos yeux. C'est assez curieux en un jour comme celui-ci ! »

Maître Zhou, qui allait présider la cérémonie, l'interrompit sèchement.

« Justement ! Ne croyons-nous pas que l'esprit de notre roi continuera sa traversée vers l'Autre Rive ? Et que, par ce rituel, nous lui assurerons une bonne arrivée dans le monde nouveau, où la Vie lui fera poursuivre son long chemin ? Nous devrions tous en être réjouis, comme le prince, plutôt que de nous apitoyer. En réalité, quand nous perdons un proche, nous ne pleurons que sur nous-mêmes. »

Je me rappelais qu'enfant, Maître Zhou m'avait longuement parlé de la mort. Il disait que ce que nous appelions « la mort » n'était en fait, pour l'esprit, qu'un passage vers une nouvelle forme d'être. Lorsque j'avais demandé au vieux sage à quoi ressemblait ce monde nouveau où l'esprit se rendait après la mort du corps, il m'avait fait la réponse suivante :

« Nous n'en savons strictement rien. Et tout ce que nous pouvons imaginer ne correspond sans doute pas à la réalité, car celle-ci échappe totalement à notre expérience. La mort est comme la naissance. Lorsque l'enfant se trouve dans le ventre de sa mère, l'univers se résume à ce qu'il voit, sent, entend, perçoit. Il n'y a donc, pour lui, aucun autre monde imaginable que la chaleur du ventre maternel. Il sait qu'il va devoir un jour quitter ce lieu qui devient trop étroit. Il entend parfois des échos lointains qui lui font penser qu'il existe sans doute un autre espace au-delà du seul qu'il connaît, mais il n'a aucune idée de ce à quoi il peut ressembler. Si on le lui décrivait, il serait bien incapable de le comprendre, car il n'a d'autre expérience que celui de sa vie au sein du ventre maternel. Et lorsque vient le moment du Grand Passage, celui de sa naissance, l'enfant est terrorisé : il va vers l'inconnu. Quelques instants après être sorti du ventre de sa mère, il se retrouve blotti contre elle ; l'amour maternel le rassure, l'apaise, et il ne tarde pas à découvrir et à aimer ce monde nouveau. Par la suite, il ne voudra plus jamais le quitter.

« Il en va de même à notre mort, lorsque l'esprit quitte notre corps. Nous sommes naturellement effrayés par cet autre Grand Passage vers l'inconnu. Mais nous croyons que, sitôt le passage effectué, nous sommes portés par l'amour de la Puissance Profonde du Monde : sa lumière nous apaise et nous conduit progressivement non pas vers une nouvelle vie, car nous ne sommes jamais morts, mais vers un nouvel état de vie. Et nous croyons que le rituel du Grand Passage aide l'esprit du défunt à achever son voyage vers cette Autre Rive, où il poursuivra son chemin d'une manière dont nous ignorons tout. »

28

Cœur de braise

L'amour est un sentiment bien exaltant
à ses débuts, mais lorsqu'il prend racine
il devient toujours plus fort et intense avec le temps.

La cérémonie dura cinq heures car, avant même le rituel, il me fallut saluer tous les rois et les émissaires de nombreuses contrées. Une fois la célébration terminée, en attendant le repas du soir en compagnie d'une centaine d'hôtes, je me suis rendu en hâte dans l'appartement de Solena. Elle me sauta au cou et je l'enlaçai tendrement :

« Oh, mon prince, comme tu m'as manqué ! Depuis notre rencontre, je sens que mon cœur ne cesse de se réchauffer.

— Le mien se consume. Comme je t'aime !

— Et moi donc… »

Elle se détacha de moi et alla me chercher une petite broderie qu'elle avait faite pendant la cérémonie. Elle représentait deux cœurs liés par un fil d'or.

« Tiens. »

Une nouvelle vague d'émotion me submergea. Je la serrai longuement dans mes bras. Mon cœur était si plein et si léger à la fois !

« Ma tendre Solena, je vais devoir à nouveau te quitter pour rejoindre nos hôtes. La servante te portera quelque chose à dîner et notre ami le scarabée… Mais au fait, où est-il ?

— Ici ! lança une petite voix à côté de la fenêtre. N'aie aucune crainte, nous avons déjà bien conversé et je continuerai de m'assurer que ta bien-aimée ne manque de rien.

— Oh, il est adorable ! s'exclama Solena en allant prendre délicatement le scarabée dans sa main. Et il m'a raconté son histoire : comme sa femme a de la chance d'avoir trouvé un être aussi aimant et persévérant.

— L'amour est un sentiment bien exaltant à ses débuts, mais lorsqu'il prend racine il devient toujours plus fort et intense avec le temps, répondit le scarabée. Je n'ai jamais autant aimé ma femme aujourd'hui qu'il y a huit cent vingt-trois ans, lorsque je l'ai épousée. »

« "Oh, il est adorable !" s'exclama Solena
en allant prendre délicatement le scarabée dans sa main. »

J'étais sur le point de demander à Solena si elle accepterait de devenir ma femme et la future reine du royaume. Le scarabée dut lire dans mes pensées et trouver le moment trop précipité, ou inapproprié, car il toussota et poursuivit sur un ton badin :

« Pardon, les tourtereaux mais, prince, puisque tu descends dîner, demande donc à quelqu'un de me monter un petit reste de quelque chose, bien avarié si possible ! »

J'éclatai de rire et saluai mes amis en pressant une nouvelle fois Solena contre mon cœur. Comme il me tardait de la retrouver cette nuit, après le long dîner officiel ! Et, cette fois, j'étais bien résolu à lui demander sa main.

J'eus un mal fou à me concentrer. Je parlais à mes hôtes, mais mon esprit était ailleurs. Le chambellan profita de la prestation d'une troupe de saltimbanques pour me parler en privé.

« Qu'avez-vous donc, prince ? Je ne vous ai jamais vu dans un tel état. Vous n'écoutez rien, vous semblez flotter ailleurs. »

Je décidai de me saisir de cette occasion pour lui dire la vérité :

« Mon cœur est amoureux !

— Que me racontez-vous là ?

— La jeune femme que je suis allé rechercher : mon cœur s'est mis à brûler dès l'instant où je l'ai vue dans les cuisines du palais. J'ai passé la nuit, le plus chastement du monde, dans ses bras et je ne peux plus m'éloigner d'elle. Dès demain matin, je la demanderai en mariage. Si elle accepte, ce sera la future reine du royaume. »

Le chambellan resta coi, comme pétrifié par la foudre. Il se reprit et poursuivit : « Si c'est la femme qui vous est destinée, la coque de cristal qui enveloppe votre cœur a dû commencer à fondre. Pourquoi ne pas aller le vérifier sitôt le dîner fini auprès de Sarman le guérisseur : la chose est trop importante pour attendre.

— Vous avez raison. »

Sitôt le dernier hôte parti, nous nous rendîmes dans la salle de soins en compagnie de Sarman, qui me fit boire un breuvage afin de m'endormir pendant qu'il allait inciser ma peau pour mieux observer mon cœur. Tandis que j'étais en état de sommeil artificiel, il annonça au chambellan que mon cœur était tel un foyer de braises ardentes, et que sa gangue de cristal était bien en train de fondre.

Je me réveillai quelques heures plus tard. Sarman m'annonça l'heureuse nouvelle, tout en m'enjoignant de ne faire aucun effort physique car la transformation du cristal pouvait avoir des effets imprévisibles sur mon cœur. J'étais transporté de joie et, en même temps, curieusement, je fus saisi d'un étrange pressentiment. Je me rendis en toute hâte à l'appartement de Solena. Les gardes n'étaient plus à leur poste. J'ouvris la porte et butai sur la servante et un des gardes qui étaient attachés et bâillonnés à même le sol. L'appartement était vide. Solena avait disparu.

29

L'enlèvement

Si on ne prend soin de notre corps,
si on ne le traite pas comme la plus précieuse
des choses de ce monde, notre esprit est incapable
d'exercer toute sa puissance et sa lucidité.

Il n'y avait aucun doute, Solena avait été enlevée. J'étais abasourdi, mais il fallait que je reprenne mes esprits pour agir au mieux. J'appelai mon ami le scarabée. Curieusement, il avait lui aussi disparu. Je me penchai vers les corps du garde et de la servante pour les libérer et je constatai qu'ils dormaient. On les avait probablement drogués.

C'est alors que le chambellan entra dans la pièce. Il était en chemise de nuit et semblait bouleversé.

« Je viens d'apprendre la nouvelle ! Votre jeune amie a été kidnappée, à notre barbe à tous.

— Mais par qui ? hurlai-je de rage en attrapant le chambellan par le col de sa chemise.

— Lâchez-moi, prince ! Je viens d'être réveillé par le chef de la garde : un des hommes qui surveillaient la chambre de votre amie s'est libéré et nous venons aussi d'apprendre qu'un vigile a vu un équipage d'une dizaine de cavaliers quitter le château il y a à peine une heure. Pensant que c'était un de nos hôtes qui avait décidé de partir de nuit, il ne s'est pas inquiété.

— Qui étaient ces hommes ? Solena était-elle parmi eux ?

— Impossible de le savoir. Ils étaient enveloppés dans de grandes capes et ne portaient aucun emblème permettant de les reconnaître. Ils ont, semble-t-il, remonté le vent du sud.

— Partons immédiatement avec nos meilleurs chevaux !

— J'ai déjà dépêché une cinquantaine de soldats. Ils viennent de quitter le palais.

— Je vais les rejoindre.

— Surtout pas, prince ! Sarman le guérisseur ne vous a-t-il pas averti que la gaine de cristal qui enveloppe votre cœur était en train de fondre et qu'il fallait éviter tout effort ? Votre vie est en jeu et nous ne pouvons prendre aucun risque :

n'oubliez pas que vous êtes le seul héritier du royaume. »

Je me résignai à rester au château et menai une enquête sur l'enlèvement de Solena. Le garde et la servante qui avaient été bâillonnés ne se souvenaient de rien car ils avaient auparavant été drogués. Quelqu'un avait versé un puissant somnifère dans une tisane qu'on leur avait servie en fin de soirée. Solena en avait aussi bu et ses ravisseurs l'avaient transportée endormie. Personne n'avait rien vu de cet enlèvement au cœur même du palais. J'étais accablé et m'interrogeai : qui donc en voulait à cette jeune femme innocente ? Il m'apparaissait que la seule raison qui aurait pu motiver cet acte, c'était d'empêcher qu'elle devienne reine. Seul le chambellan était au courant de ce projet. Mais comment imaginer qu'il soit capable d'une telle trahison à mon égard ? Je restai prostré des heures, ruminant toutes ces pensées et attendant, le cœur angoissé, le retour des soldats. En milieu de matinée, la patrouille revint bredouille. Elle avait perdu la trace des ravisseurs de Solena. J'étais désespéré. J'ordonnai que des soldats partent en grand nombre sillonner toutes les routes du royaume. Nous finirions forcément par les retrouver, ou découvrir leur piste. Je passai le reste de la journée à enquêter à la recherche du moindre indice permettant de trouver un complice au palais. Mais en vain.

Alors que la nuit venait de tomber, j'entendis une petite voix essoufflée murmurer au creux de mon oreille.

« Vite, de quoi manger ! Je vais défaillir. »

Mon ami le scarabée venait de se poser sur mon épaule. Il avait l'air en effet totalement épuisé.

« J'ai volé plusieurs heures et je suis à bout de forces. Je vais tout te raconter, mais par pitié, donne-moi un peu à boire et à manger : si on ne prend soin de notre corps, si on ne le traite pas comme la plus précieuse des choses de ce monde, notre esprit est incapable d'exercer toute sa puissance et sa lucidité. »

Malgré ma peine, j'étais bien heureux de retrouver mon ami. Je demandai à un serviteur d'apporter tout ce qu'il fallait. Une fois qu'il eut repris son souffle, puis un peu bu et avalé quelques bouchées, le scarabée commença son incroyable récit.

« Je sais où se trouve Solena. »

À ces mots, mon cœur bondit de joie.

« Comment va-t-elle ?

— À vrai dire, je n'en ai aucune idée. Je sais simplement qu'elle est retenue prisonnière dans une sinistre tour, ici même, juste à la sortie de la cité, en direction du nord.

— La tour noire ?

— Elle est sombre, en effet.

— Mais cette tour est une dépendance du château ! C'est là que nous expédions certains prisonniers importants.

— Oui, et si je te dis que ce sont tes propres soldats qui ont fait le coup ? »

30

Le complot

*Le chemin de la Vie est parfois ténébreux
ou rocailleux, mais la compagnie de vrais amis
le rend toujours plus aisé et lumineux.*

Je restais muet de stupeur. Comment mes propres hommes avaient-ils pu faire une chose pareille ?

« Que dis-tu là ?

— Je vais te raconter l'histoire par le commencement. Hier soir, à une heure tardive, un serviteur est venu apporter de ta part une infusion de plantes odorantes et tous en ont bu. Quelques instants après, ils dormaient d'un sommeil profond. Je compris alors qu'ils avaient été drogués. Je voulais te prévenir, mais toutes les fenêtres de la chambre, hélas, étaient fermées. Peu de temps après, des hommes de ta propre garde sont arrivés. Je les ai reconnus même si leur uniforme était dissimulé sous de grandes capes. C'est alors que le chambellan est entré.

— Ah, le traître ! Il m'a conduit chez Sarman le guérisseur pour me tenir éloigné de Solena pendant qu'il la faisait enlever.

— Oui, mais ce qui est curieux, c'est qu'à peine arrivé dans la pièce, il s'est penché sur le corps de la jeune fille, a dégrafé sa robe et a scruté le bas de son dos. Il a eu l'air fort surpris, puis a fait un signe de la tête aux soldats, avant de quitter seul l'appartement, visiblement fort contrarié. Les soldats ont ensuite bâillonné les gardes et la servante et sont sortis avec le corps endormi de Solena.

— As-tu vu ce que le chambellan a regardé sur le corps de Solena ?

— Non, j'étais trop loin. Pourquoi ?

— Je te dirai quelque chose d'étrange plus tard. Poursuis ton récit, mon ami, avant que j'aille étriper ce félon et libérer Solena !

— J'ai pu quitter les lieux et les suivre en volant. Des chevaux les attendaient à la sortie du palais et presque tous sont partis pour faire diversion, sauf deux d'entre eux qui ont placé Solena dans un chariot recouvert d'une bâche, qu'ils ont mené jusqu'à la tour noire. D'autres gardes les attendaient et ils ont déposé le corps, toujours

« Il s'est penché sur le corps de la jeune fille,
a dégrafé sa robe et a scruté le bas de son dos. »

inanimé, dans un cachot sommairement aménagé. Je suis alors revenu pour te prévenir, mais j'étais si épuisé qu'il m'a fallu plusieurs heures pour parvenir jusqu'ici.

— Merci mon ami, merci ! Grâce à toi je sais maintenant où se trouve ma bien-aimée. Tu m'as rendu tant de services depuis notre rencontre : le chemin de la Vie est parfois ténébreux ou rocailleux, mais la compagnie de vrais amis le rend toujours plus aisé et lumineux. Pourquoi le chambellan a-t-il ourdi un tel complot ?

Le problème, c'est qu'il a autorité sur la garde royale pendant la vacance du trône, car c'est lui qui détient le pouvoir en tant que régent jusqu'à mon intronisation dans deux jours. Je ne comprends pas. Il a toujours été d'une parfaite loyauté envers mon père.

— C'est peut-être là le problème ! Ne m'as-tu pas dit que ton père t'avait menti à propos de ton mal ? Le chambellan cherche peut-être à protéger son secret ?

— C'est possible, en effet. Mais en quoi ce secret concernerait-il Solena ?

— Nous n'allons pas tarder à le savoir : j'entends ses pas dans le vestibule ! »

31

La vérité

La loyauté est la vertu la plus nécessaire
au sein de toute relation,
qu'elle soit amicale, amoureuse ou d'utilité.

À l'instant même, en effet, le chambellan pénétra dans ma chambre. Il avait l'air fort préoccupé et était loin de se douter que je savais.

« Ah, prince ! Je suis très inquiet. Les ravisseurs de la jeune femme ont disparu dans la nature sans laisser de trace. Il nous faudra plusieurs jours, et même peut-être plusieurs semaines pour les retrouver. Or nous devons annoncer demain le nom de la future reine. »

Je fis semblant de l'écouter attentivement pour voir jusqu'où il irait dans son mensonge. Il poursuivit :

« Je sais que cette disparition inexplicable vous accable, mais nous devons avant tout penser au bien du royaume. Il vous faut choisir quelqu'un d'autre cette nuit même.

— Rassurez-vous mon ami, demain vous aurez une reine.

— Vous m'en voyez réjoui, prince.

— Et nous n'aurons pas besoin de la chercher bien loin… puisqu'elle se trouve dans cette cité.

— Quelle joie ! Dites-moi son nom.

— C'est encore un peu tôt, car il faut qu'elle accepte ma demande et je n'ai pas encore pu lui en faire part.

— Qui donc dans ce royaume pourrait s'opposer à votre volonté, mon prince ?

— Encore faudrait-il qu'elle soit en état de m'écouter et de parler. Or je crois qu'elle est actuellement fort mal en point et je vais me rendre de ce pas auprès d'elle voir comment elle se porte.

— Je comprends… mais, dites-moi au moins son nom ?

— Solena. Elle se trouve en sécurité dans la tour noire. Par vos bons soins. »

Le visage du chambellan devint cramoisi.

« Prince, que dites-vous là ?

— Je sais tout. Un garde qui m'est resté fidèle m'a raconté votre petite expédition nocturne. Vous ne pouvez sans doute le comprendre, mais la loyauté est la vertu la plus nécessaire au sein de toute relation, qu'elle soit amicale, amoureuse ou d'utilité. Pouvez-vous m'expliquer les raisons de votre félonie ? »

Il baissa les yeux et semblait accablé. Puis il redressa la tête et prononça d'une voix grave :

« Il ne s'agit pas d'une félonie. Vous savez que j'ai tout pouvoir pendant la vacance du trône. Or je vous assure que j'ai agi pour votre intérêt et pour le bien supérieur du royaume. »

Je m'emportai et lui hurlai à la face :

« Cela vous donne-t-il le droit de faire enlever une jeune fille dans mon propre palais ? »

Il resta de marbre.

« Prince, vous ne devez en aucun cas l'épouser.

— Ah, oui ! Parce que c'est une simple paysanne, sans doute ? Parce qu'elle n'a pas reçu une noble éducation dans un palais ?

— Non, prince.

— Alors pourquoi ? Dites-moi donc pourquoi ce mariage est impossible !

— Parce que Solena est votre sœur. Votre sœur jumelle. »

32

La princesse

Lorsque notre cœur a souffert, il met en place
des sécurités qui nous empêchent de vibrer
au souffle imprévisible de la Vie.

La terre se déroba sous mes pieds et je perdis connaissance. Je me réveillai environ une heure plus tard. J'étais allongé sur mon lit. Le chambellan était penché sur moi, ainsi que Maître Zhou et une servante qui me faisait respirer des parfums pour m'aider à reprendre conscience. Je vis aussi mon ami le scarabée posé sur la table de chevet, caché derrière la bougie.

« Ai-je donc rêvé ?

— Hélas, non », répondit le chambellan.

Je tentai de me relever, mais il me retint d'une poigne ferme.

« Restez allongé, prince, et prenez le temps de recouvrer tous vos esprits. »

J'obtempérai, car je sentais que mon sang avait comme déserté mon corps. Il poursuivit :

« Ne vous inquiétez pas, j'ai dépêché des hommes pour ramener la princesse Solena dans son appartement. Voyant que vous reveniez à vous, Sarman vient de partir auprès d'elle.

— Mais, je veux…

— Non, restez ici encore un peu pour vous reposer. Il faut ménager votre cœur qui a eu un choc très puissant.

— Alors, racontez-moi au moins toute la vérité. Vous me devez bien ça après tant d'années de mensonges. »

Le chambellan fit signe à la servante de quitter la pièce et resta seul avec le vieux sage et moi. Il poussa un profond soupir et commença son récit :

« La sorcière n'a, en effet, jamais existé. Nous avons inventé et écrit cette histoire dans les registres du royaume, afin de dissimuler pour toujours la vérité. Mais le destin en a décidé autrement et nous sommes aujourd'hui punis pour ce crime.

— Que s'est-il donc passé ? Pourquoi ma mère est-elle morte ?

— Parce qu'elle a accouché de jumeaux, vous et votre sœur, et que son cœur n'a pu le supporter, tant l'enfantement fut long et difficile. »

Maître Zhou continua le récit avec une émotion que je n'avais jamais sentie auparavant dans sa voix :

« Pourtant vous étiez si lumineux l'un et l'autre… Vous étiez totalement enlacés. Juste après vous avoir bénis, je vous ai posés contre la poitrine de la reine, avant qu'elle ne meure, et je revois encore son visage si rayonnant de bonheur tandis qu'elle vous regardait en vous serrant contre elle. Puis son cœur lâcha et Sarman tenta de vous séparer. Il fallut trois personnes pour y parvenir, tant vous étiez si profondément unis. Vous n'avez dès lors pas cessé de hurler et nous avons fait venir en hâte deux nourrices. Leurs seins vous apaisèrent un peu, mais vous aviez besoin de vous regarder pour ne pas crier à nouveau. »

En écoutant leur récit, je sentais une immense tristesse monter en moi et je finis par fondre en sanglots. Ils restèrent quelques instants en silence, puis le chambellan reprit :

« Malgré le chagrin qui l'accablait à cause du décès de la reine, le roi réunit en toute hâte le Grand Conseil, car jamais une telle chose n'était arrivée dans l'histoire du royaume. Nos lois stipulaient qu'en cas de naissance de jumeaux, seul le premier-né, homme ou femme, pouvait régner. Or vous étiez nés exactement en même temps, comme soudés l'un à l'autre. Sur le conseil de Maître Zhou, nous décidâmes d'en appeler à la Puissance Profonde du Monde et de tirer au sort celui, ou celle, qui devait régner. Le sort ne voulut désigner aucun des deux. Le roi prit alors la lourde décision de vous choisir comme successeur et d'éloigner la princesse du palais, afin qu'elle ne puisse jamais revendiquer son droit à la couronne et que le royaume ne soit divisé. Sa naissance resta secrète et on l'envoya avec sa nourrice à l'extrémité du pays. La nourrice reçut une forte somme d'argent, on lui demanda d'élever la princesse comme sa propre fille et elle jura de ne jamais divulguer la vérité. Nous n'avons plus jamais entendu parler d'elle, jusqu'à ce que le destin fasse revenir votre sœur au palais pour y chercher du travail et que vous la rencontriez dans les cuisines. »

Mon cœur était inconsolable de savoir que ma sœur et moi avions ainsi été séparés et qu'elle avait vécu tout ce temps si loin de moi. Les yeux mouillés et la voix brisée, je demandai au chambellan comment, la veille au soir, il avait eu la certitude que Solena était bien ma sœur.

« À cause de la marque !

— La marque que je porte au bas du dos ?

— Elle possède exactement la même. Cette tache en forme de cœur est apparue dès qu'on

« Je revois encore son visage si rayonnant de bonheur tandis qu'elle vous regardait en vous serrant contre elle. »

vous a séparés. Sachant qu'elle n'avait jamais disparu chez vous, je savais que si un jour la princesse devait réapparaître, nous pourrions la reconnaître à ce signe.

— Pourquoi alors ne pas m'avoir dit la vérité, plutôt que de faire cette grossière mise en scène d'enlèvement et de la séquestrer comme une voleuse ?

— J'ai sans doute eu tort, mais je voulais attendre que vous soyez marié avec une autre jeune femme de la cour avant de vous faire cette révélation. »

Je restais songeur.

« Voilà donc la raison pour laquelle mon cœur a vibré et commencé à brûler lorsque je l'ai vue pour la première fois. Ainsi donc, Maître Zhou, vous ne vous êtes pas trompé lorsque vous m'avez annoncé qu'un seul être pouvait libérer mon cœur de sa gaine de cristal. Mais saviez-vous qu'il s'agissait de ma propre sœur ?

— Je le savais, prince. Cependant, j'avais juré à ton père de ne jamais divulguer ce secret. Je ne t'ai pas menti en te disant que je n'avais aucune idée du lieu où cette femme se trouvait.

— Et cette gaine de cristal qui a si longtemps empêché mon cœur de se développer et d'aimer ?

— Elle s'est formée progressivement, une fois que la princesse a quitté le palais, poursuivit le vieux sage. Tu as pleuré et hurlé pendant plusieurs jours. Puis un matin tes pleurs ont cessé. Tu étais comme prostré, résigné. Un voile de tristesse s'est déposé sur ton regard, qui ne t'a plus jamais vraiment quitté. Et nous avons constaté que ton cœur de bébé, qui affleurait la peau, a commencé à irradier d'une curieuse lumière. En l'observant attentivement, Sarman a découvert que ton petit cœur était blessé, comme fendu en deux, et qu'une fine gaine de cristal était en train de l'envelopper, comme pour le protéger. Il ne pouvait l'enlever de peur que la plaie ne te fasse mourir. C'est comme si ton cœur avait été trop blessé par cette séparation et qu'il eût développé cette gangue pour survivre. Mais ce qui était censé te protéger t'a rendu malheureux en t'empêchant à nouveau de t'attacher et d'aimer. Lorsque notre cœur a souffert, il met en place des sécurités qui nous empêchent de vibrer au souffle imprévisible de la Vie. Or Sarman a pu observer la nuit dernière que non seulement la coque de cristal avait presque totalement fondu sous la chaleur de l'amour, mais aussi que ton cœur avait cicatrisé. »

Je pensais au rêve que j'avais fait avec l'épée de lumière et à la magicienne qui m'avait dit avoir soigné mon cœur blessé, puis à ma sœur et je bondis :

« Solena ! Si j'ai développé cette gaine de cristal autour de mon cœur, pourquoi ne l'aurait-elle pas aussi ? Le cristal ne serait-il pas en train aussi de fondre ?

— C'est précisément pour cela que Sarman est parti auprès d'elle afin de l'ausculter. »

À ces mots, le guérisseur franchit la porte de ma chambre. Sa mine était sombre.

« Nous lui avons tout raconté, lui souffla le chambellan. Comment va la princesse ?

— Elle vient de se réveiller, et j'ai hélas une bien triste nouvelle. Son cœur aussi était enveloppé de cristal. Il a, comme chez le prince, commencé à fondre depuis leurs retrouvailles. Mais la blessure n'a jamais cicatrisé et il s'est mis à saigner dès que la coque de cristal a commencé à se désagréger, sans que je puisse rien faire pour la sauver. Elle vit ses derniers instants parmi nous.

« Je lui ai aussi raconté son histoire et je crois qu'elle attend la présence du prince pour quitter ce monde. »

33

L'ultime combat

Si tu fermes ton cœur,
tu m'oublieras et je mourrai une seconde fois.

J'exigeai de me rendre seul dans sa chambre. Lorsque je la vis, si frêle et pâle, dans cet immense lit de satin blanc, je ne pus retenir mes larmes. Elle entrouvrit les yeux :

« Ne pleure pas, mon ami. Je sais que mon temps en ce monde touche à sa fin, mais je suis si heureuse que le destin nous ait de nouveau réunis. »

Je vins me blottir contre elle et l'envelopper de mes bras. Étrangement calme, elle posa doucement sa tête sur mon épaule et reprit d'une voix posée :

« Tant de fois j'ai rêvé de toi ! Je ne connaissais pas ton vrai visage, mais je savais qu'il existait en ce monde un être que je pourrais enfin aimer. J'ai eu la chance de vivre ces quelques jours auprès de toi et de connaître enfin l'amour. »

Je m'écriai alors, ivre de douleur :

« C'est moi qui t'ai tuée ! Si tu ne m'avais pas rencontré, le cristal n'aurait pas fondu et tu aurais vécu encore longtemps.

— Quel intérêt, mon frère bien-aimé, de vivre longtemps le cœur fermé ? Je préfère mourir après avoir vécu ces quelques jours le cœur brûlant d'amour que de vivre encore cent ans le cœur glacé.

— Si tu meurs, je mourrai avec toi, ou bien je ne pourrai jamais plus ouvrir mon cœur. Il se fermera à jamais. »

Elle esquissa un merveilleux sourire que je n'ai jamais oublié.

« Si tu fermes ton cœur, tu m'oublieras et je mourrai une seconde fois. En ce monde, je ne peux continuer à vivre que dans ton cœur. Mais il faut qu'il reste ouvert. Ne le referme pas et le mien battra toujours à l'unisson du tien... »

Sur ces mots, elle rendit son dernier soupir. Le sourire ne quitta pas ses lèvres. Je restai longtemps à la pleurer, me cramponnant à son visage et refusant que la Vie nous sépare une nouvelle fois. Je sentis dans mon cœur un intense

« Sur ces mots, elle rendit son dernier soupir.
Le sourire ne quitta pas ses lèvres. »

combat : parfois il se refermait et la gangue de cristal semblait se reformer, tantôt il continuait de brûler d'amour et le cristal refondait. Au terme d'une lutte implacable, je choisis la Vie, je choisis l'amour. J'acceptais le choix du destin. J'acceptais de continuer d'aimer, quitte à souffrir. J'acceptais de garder à jamais Solena dans mon cœur. Alors, je sentis une chaleur si forte que j'eus l'impression que mon cœur allait sortir de ma poitrine. Le cristal acheva de fondre et mon cœur ne cessa plus jamais de grandir et d'aimer.

Je déposai une fleur sur le front de ma sœur et je sortis de la chambre annoncer à tous la nouvelle de la mort de la princesse.

Mon cœur était meurtri, mais grand ouvert.

J'étais devenu un homme.

Épilogue

L'amour a un prix : la séparation d'avec
les êtres aimés. Mais sans amour,
la Vie ne perdrait-elle pas toute sa valeur ?

Aloa sécha aussi ses larmes et sauta par terre :
« Elle est triste ton histoire, grand-père ! J'aurais
voulu qu'elle vive, la princesse Solena, moi.

— Moi aussi, ma chérie, mais la Vie en a
décidé ainsi. Elle continue de vivre dans mon
cœur et il n'y a pas une journée où je ne pense à
elle avec tendresse.

— Après sa mort, est-ce que tout le monde a
su qu'elle était la princesse ?

— Je décidai, en effet, d'annoncer à notre
peuple l'existence et la mort de la princesse. Des
cavaliers furent envoyés aux quatre vents pour
raconter son histoire et convier tous ceux qui le
souhaitaient à la cérémonie du Grand Passage,

qui fut exceptionnellement fixée à plus de quinze jours après son décès. Tous ceux qui étaient venus au palais pour rendre hommage au roi défunt restèrent, et bien d'autres, surtout parmi le petit peuple, vinrent de toutes les contrées, même les plus éloignées. Si bien que le jour du rituel, une foule immense, telle qu'on n'en avait jamais dénombrée dans les annales du royaume, se pressa dans la ville pour rendre hommage à la princesse. Nul ne l'avait jamais vue, mais tous l'aimaient et la pleuraient, tant son histoire avait touché les cœurs. Une stèle à son effigie fut édifiée dans le jardin du souvenir, à côté de celle de notre père. Jamais stèle ne fut autant fleurie, et cela est encore vrai aujourd'hui, plus de cinquante ans après sa mort. Tous ceux, riches ou pauvres, jeunes ou vieux, qui ont une peine de cœur viennent se recueillir en ce lieu et demandent l'aide de la Puissance Profonde du Monde en invoquant le nom de la princesse Solena. Et on dit que la plupart repartent le cœur affermi ou apaisé.

— Mais toi, tu es resté triste quand même ?

— Au début, bien sûr. Pourtant, aussi étrange que cela puisse paraître, c'est aussi ce qui m'arriva. Alors que je croyais mon cœur inconsolable, je constatai au fil des semaines qu'un parfum doux et joyeux se répandait en lui. Non seulement la blessure de mon enfance était bien guérie, mais mon cœur ne cessait de grandir, de vibrer, de compatir, malgré la tristesse qui l'habitait encore. Je ne pouvais toutefois me résoudre à prendre une épouse si tôt après le décès de Solena. J'imposai alors au Grand Conseil de faire une entorse à nos lois et d'attendre plusieurs mois avant de m'introniser comme roi et de choisir une reine.

— Et ton ami le scarabée gourmand, est-ce qu'il a retrouvé son amoureuse ? »

Le roi rit de bon cœur et reprit Aloa sur ses genoux pour poursuivre son récit :

« Ah, je vois que tu ne l'as pas oublié, mon merveilleux ami ! Je décidai de partir moi-même le raccompagner dans son pays. Ce long voyage en compagnie de l'être dont j'étais devenu si proche, et que j'aimais maintenant comme un frère, fit le plus grand bien à mon cœur meurtri. Nous nous réjouissions d'être ensemble et nous passions beaucoup de temps à rire, car mon compagnon était d'un naturel fort joyeux et la perspective de retrouver sa femme le rendait encore plus gai. Toutefois, lorsque nous arrivâmes chez lui, il retrouva une certaine gravité car je crois qu'il appréhendait qu'il ne soit arrivé quelque chose à sa bien-aimée ou bien que le remède ne puisse la réveiller. Son rire résonna de nouveau lorsqu'il retrouva ses proches. Je vis une multitude de scarabées tourbillonner autour de lui. Puis il prit le remède. En pénétrant sous le rocher où reposait sa tendre épouse, il était silencieux et je le sentais frissonner d'angoisse. Je priai la Puissance Profonde du Monde de lui venir en aide.

« Il me raconta plus tard que lorsqu'il vit sa bien-aimée allongée sur son petit lit de mousse avec un pétale de rose à la tête et au pied, son cœur battit si fort qu'il eut de la peine à se saisir de la petite gourde dans laquelle j'avais versé une goutte d'élixir de fleur de bambou bleu. Les pattes tremblantes, il déposa la goutte dans la bouche entrouverte de sa femme. Pendant quelques instants, il ne se passa rien. Puis, soudain, la petite scarabée ouvrit les yeux. Elle regarda étonnée autour d'elle, vit son mari qui la fixait l'air ahuri et dit simplement : "J'ai fait un drôle de rêve, mon chéri." À ces mots, le scarabée perdit connaissance et roula sur le dos. "Que t'arrive-t-il, mon bien-aimé ?" s'exclama-t-elle stupéfaite, ne sachant encore qu'il avait parcouru le monde pendant sept cent soixante-quinze années à la recherche du remède qui venait de la réveiller. Ses amis se précipitèrent pour le remettre à l'endroit et lui donnèrent quelques claques qui eurent pour effet de lui faire reprendre ses esprits. Il se jeta alors contre son épouse et ils frottèrent leurs petites pattes en s'embrassant, tandis que leurs amis quittèrent la tanière, car ils avaient beaucoup de choses à se raconter. Ils n'en ressortirent que trois jours plus tard et organisèrent une immense fête afin de célébrer leur bonheur et m'honorer pour l'aide que je leur avais apportée. »

Aloa s'étira dans les bras de son grand-père. La fin heureuse de l'histoire du scarabée l'avait un peu consolée. Mais une question continuait de la préoccuper.

« Hé, grand-père, quand es-tu tombé amoureux de grand-mère ? »

Le roi resta quelques instants en silence, puis répondit :

« Cela ne s'est pas fait tout de suite après la mort de ma sœur jumelle. Mon cœur était réchauffé, je vibrais de plus en plus à la beauté du monde et je ressentais de la compassion pour les êtres qui souffraient. Mais je n'étais pas encore prêt à m'attacher à une femme pour la vie. Pourtant, lorsque je rentrais au palais après avoir raccompagné le scarabée, je pensais parfois à Eulysis. J'avais toujours été touché par son amour si chaleureux et fidèle, mais à présent je ressentais autre chose en pensant à elle. Mon cœur était plus ému et lorsque enfin je regagnai le palais, elle fut la première personne que j'allai trouver. Elle se précipita vers moi et s'écria : "Comme tu m'as manqué !" Ce à quoi je répondis spontanément : "Toi aussi, tu m'as manqué."

« Pour la seconde fois de ma vie, j'avais ressenti le manque d'un être cher. Bien que très occupé par les affaires du royaume et la préparation de mon couronnement, que je ne pouvais trop longtemps encore repousser, je m'arrangeais pour voir Eulysis au moins une fois par jour. Au début, nous parlions beaucoup de Solena, puis nos échanges portèrent sur toutes sortes de sujets et je finis par réaliser que je l'aimais. Mon cœur se réchauffait chaque fois que je la voyais et je ne pouvais guère être longtemps séparé de sa douce présence. Nous allions souvent nous promener dans les jardins du palais, ou bien à cheval dans les grandes plaines. Elle avait beaucoup de personnalité et, en même temps, restait toujours pudique et secrète. Elle pouvait me tenir tête avec une incroyable ténacité si nous n'étions pas d'accord, comme rougir d'émotion et perdre ses moyens si son cœur était touché. Même si je rencontrais d'autres jeunes femmes et que parfois je fusse sensible au charme ou à la grâce de l'une d'entre elles, mes pensées revenaient toujours à Eulysis et il me tardait de la retrouver pour lui faire partager mes joies et mes peines, les idées que j'avais eues pour réformer le royaume, les rencontres nouvelles que j'avais faites.

— Mais alors, quand lui as-tu dit que tu l'aimais ?

— C'était un matin d'automne, après la pluie. Alors que nous venions de nous retrouver sur la terrasse du palais, je m'arrêtai devant elle, à quelques pas, et restai là à la regarder. Elle fut surprise et stoppa son élan. Nous restâmes un long moment les yeux dans les yeux. En silence, mais le cœur battant. Je sentais monter en moi un désir irrésistible que je ne pouvais plus taire. "Eulysis, veux-tu devenir ma reine ?" Elle me regarda longtemps avant de répondre "oui" d'un simple signe de la tête, les yeux embués, puis elle me serra dans ses bras. Elle espérait ce moment depuis l'enfance et n'avait pourtant jamais rien fait pour me séduire ou me garder à elle. Son amour avait toujours été pur et mon cœur en était aujourd'hui profondément ému. Je pleurai. Et c'est ainsi que j'ai épousé quelques semaines plus tard ta grand-mère, la reine Eulysis. »

Le roi et sa petite-fille restèrent un long moment en silence. Puis Aloa demanda encore : « Et tu n'as plus pensé à Solena, alors ? »

Le roi se leva, prit Aloa par la main et lui montra le ciel étoilé au-dessus de la terrasse du palais.

« Regarde, petite princesse. Ceux que nous aimons vivent dans notre cœur et jamais, t'ai-je dit, je n'ai cessé de penser à ma sœur. Après son départ, mon cœur, grâce à elle, est resté grand ouvert. Et elle a continué son chemin dans la ronde de la Vie. Après qu'il eut quitté son corps, son esprit a voyagé au loin, quelque part, dans un autre monde, comme l'une de ces milliards d'étoiles qui nous entourent. »

La petite fille regardait le ciel les yeux ronds et la bouche bée. Le roi se pencha vers elle : « Alors, Aloa, je comprends ton chagrin après la mort de ton petit chien que tu aimais tant. Mais ne referme pas ton cœur. Au contraire ! Ouvre-le encore plus. C'est la grande leçon que j'ai apprise de la Vie : l'amour a un prix : la séparation d'avec les êtres aimés. Mais sans amour, la Vie ne perdrait-elle pas toute sa valeur ?

En guise de réponse, la petite fille leva les yeux vers son grand-père.

« Son esprit a voyagé au loin, quelque part, dans un autre monde, comme l'une de ces milliards d'étoiles qui nous entourent. »

« Au fait grand-père, c'est quoi, ton nom ? »

Le roi la regarda, interloqué.

« Ben oui, on t'appelle toujours grand-père, père, majesté, roi… mais c'est quoi ton nom ?

— Pourquoi me poses-tu cette question, ma chérie ?

— Parce que je vais adopter un nouveau chien, et j'aimerais bien qu'il s'appelle comme toi. »

Le roi éclata de rire, prit sa petite-fille dans ses bras et l'embrassa. Puis il lui souffla son nom à l'oreille et ils partirent dîner.

Remerciements

Je remercie de tout cœur Leili Anvar.

Un grand merci à Christian Bobin, Gena Bordi, André Charbonnier, Dorothée Cunéo, Jenia Jemmely, Hélène Paletou et Patricia Penot.

www.fredericlenoir.com

Table

Prologue 9

1. Un cœur glacé 13
2. Le mauvais sort 17
3. Eulysis 23
4. Maître Zhou 29
5. L'oracle 35
6. Le grand bal 41
7. Les princesses des quatre vents 45
8. L'amour pur 49
9. La bénédiction du père 53
10. Le pendule intérieur 57
11. Le vagabond 61
12. La confrontation 65
13. La marque 71
14. La vieille femme 75
15. Les visages de l'amour 81
16. Le jardin enchanté 87
17. L'épée de lumière 93

18. Les trois géants 99

19. Le scarabée amoureux 107

20. La mort du roi 113

21. Le bambou bleu 119

22. Où se cache la vérité ? 123

23. Solena 129

24. Le rêve 133

25. Le dîner 143

26. La confidence 151

27. Le Grand Passage 155

28. Cœur de braise 159

29. L'enlèvement 165

30. Le complot 171

31. La vérité 175

32. La princesse 179

33. L'ultime combat 187

Épilogue 191

Remerciements 203

N° d'édition : 54002/01 – N° d'impression : 14027
Dépot légal : octobre 2014

Imprimé en France
par Clerc 18200 Saint-Amand-Montrond